Eduardo Galeano
(1940-2015)

Eduardo Galeano nasceu em Montevidéu, no Uruguai. Viveu exilado na Argentina e na Catalunha, na Espanha, desde 1973. No início de 1985, com o fim da ditadura, voltou a Montevidéu.

Galeano comete, sem remorsos, a violação de fronteiras que separam os gêneros literários. Ao longo de uma obra na qual confluem narração e ensaio, poesia e crônica, seus livros recolhem as vozes da alma e da rua e oferecem uma síntese da realidade e sua memória.

Recebeu o prêmio José María Arguedas, outorgado pela Casa de las Américas de Cuba, a medalha mexicana do Bicentenário da Independência, o American Book Award da Universidade de Washington, os prêmios italianos Mare Nostrum, Pellegrino Artusi e Grinzane Cavour, o prêmio Dagerman da Suécia, a medalha de ouro do Círculo de Bellas Artes de Madri e o Vázquez Montalbán do Fútbol Club Barcelona. Foi eleito o primeiro Cidadão Ilustre dos países do Mercosul e foi o primeiro escritor agraciado com o prêmio Aloa, criado por editores dinamarqueses, e também o primeiro a receber o Cultural Freedom Prize, outorgado pela Lannan Foundation dos Estados Unidos. Seus livros foram traduzidos para muitas línguas.

Livros do autor publicados pela **L&PM** EDITORES:

Amares
Bocas do tempo
O caçador de histórias
De pernas pro ar: a escola do mundo ao avesso
Dias e noites de amor e de guerra
Espelhos – uma história quase universal
Fechado por motivo de futebol
Os filhos dos dias
Futebol ao sol e à sombra
O livro dos abraços
Mulheres
As palavras andantes
O teatro do bem e do mal
Ser como eles
Trilogia "Memória do fogo" (Série Ouro)
Trilogia "Memória do fogo":
    Os nascimentos (vol. 1)
    As caras e as máscaras (vol. 2)
    O século do vento (vol. 3)
Vagamundo
As veias abertas da América Latina

EDUARDO GALEANO

O TEATRO DO BEM E DO MAL

Tradução de SERGIO FARACO

www.lpm.com.br

L&PM POCKET

Coleção **L&PM** POCKET, vol. 293

Texto de acordo com a nova ortografia.

Primeira edição na Coleção **L&PM** POCKET: novembro de 2002
Esta reimpressão: abril de 2024

Tradução: Sergio Faraco
Projeto gráfico da capa: Siglo Veintiuno Editores
Ilustração da capa: talha em madeira de Zephania Tshuma (Zimbabwe)
Revisão: Jó Saldanha

G151t

Galeano, Eduardo, 1940-2015
  O teatro do bem e do mal / Eduardo Galeano; tradução de Sergio Faraco. – Porto Alegre: L&PM, 2024.
  128 p.; 18 cm. (Coleção L&PM POCKET; v. 293)

  ISBN: 978-85-254-1206-5

  1. Literatura uruguaia-Reportagens jornalísticas. 2. Literatura uruguaia-Jornalismo. I. Título. II. Série.

> CDD U868
> CDU 860(895)-92
> 860 (895):070
> 070:860(895)

Catalogação elaborada por Izabel A. Merlo, CRB 10/329.

© Eduardo Galeano, 2002

Todos os direitos desta edição reservados a L&PM Editores
Rua Comendador Coruja 314, loja 9 – Floresta – 90.220-180
Porto Alegre – RS – Brasil / Fone: 51.3225.5777 – Fax: 51.3221-5380

Pedidos & Depto. Comercial: vendas@lpm.com.br
Fale conosco: info@lpm.com.br
www.lpm.com.br

Impresso no Brasil
Outono de 2024

Estes artigos foram publicados em jornais e revistas de diversos idiomas. Foram Emir Sader e Eric Nepomuceno que propuseram reuni-los num livro para os leitores brasileiros. O editor, Ivan Pinheiro Machado, e o tradutor, Sergio Faraco, acompanharam generosamente a ideia.

Se os leitores se aborrecerem com o livro, Emir e Eric devem ser apedrejados, ou talvez crucificados. O autor se declara inocente.

Sumário

O TEATRO DO BEM E DO MAL 11

SÍMBOLOS 15
   Negócio 15
   Hollywood 15
   Vestuário 16
   Pânico 16
   Armas 17
   Mão de obra 17
   Antecedentes 18
   Vítimas 18
   Rupturas 19

NOTAS DO ALÉM 20
   Informações úteis 20
   Agradeço o milagre 21
   O turismo do depois 22
   Lápides 22
   O Aquém 23

SATANASES 25
   A diabada 26
   A missão divina 27

ESPELHOS BRANCOS PARA CARAS NEGRAS 29
   A heroica virtude 29
   O santo da vassoura 29
   A pele ruim 30
   O cabelo ruim 31
   Uma herança pesada 32

FALAM AS PAREDES ... 33
- Tempos modernos ... 34
- Perguntas ... 34
- Delas sobre eles ... 34
- Deles sobre elas ... 35
- A terceira via ... 35
- Todos ... 35
- Morrer ... 36
- Zigue-zague ... 36

LINGUAGENS ... 37
- Uma carta de amor ... 37
- Mea culpa ... 38
- Sobre os meios ... 38
- Da nomenclatura urbana ... 38
- Pórticos ... 39
- Tempos modernos ... 39
- Dicionário das cores ... 39
- Cartazes ... 40
- A letra mais importante ... 40
- Quando uma palavra é duas ... 41

ALGUMAS ESTAÇÕES DA PALAVRA NO INFERNO ... 42
- A palavra e o crime ... 42
- A palavra e a guerra ... 42
- A palavra e os banqueiros ... 43
- A palavra e a ajuda ... 44
- A palavra e a publicidade ... 45
- A palavra e a história ... 46

A MÁQUINA ... 48

ESTE MUNDO É UM MISTÉRIO ... 53

TROFÉUS ... 56

O ESPELHO 61
   O sol que veio do oeste 61
   O computador infiel 62
   Tal e qual 63

A MONARQUIA UNIVERSAL 64
   O FMI e o Banco Mundial 65
   As Nações Unidas 65
   A Organização Mundial do Comércio 66

NEM DIREITOS NEM HUMANOS 67

UM TEMA PARA ARQUEÓLOGOS? 71

HUMOR NEGRO 75
   Piada 1 75
   Piada 2 75
   Piada 3 75
   Piada 4 76
   Piada 5 77
   Piada 6 77
   Piada 7 78

A ERA DE FRANKENSTEIN 79

OS ATLETAS QUÍMICOS 83

MÃOS AO ALTO 87

A REPÚBLICA DAS CONTRADIÇÕES 91

OS INVISÍVEIS 95

AJUDE-ME, DOUTOR, QUE NÃO POSSO
DORMIR 100
   Ficará o mundo sem professores? 100
   Ficará o mundo sem presidentes? 101
   Ficará o mundo sem assunto? 102
   Ficará o mundo sem inimigos? 103

Ficará o mundo sem bancos?...................................104
Ficará o mundo sem mundo?..................................105

ALGUMAS MODESTAS PROPOSIÇÕES 106
   Melhor que Kyoto..106
   Como vender guarda-chuvas 107
   A conquista da lua 108

NOTÍCIAS DO MUNDO ÀS AVESSAS 110
   O aniversário 110
   Em teu dia, mamãe 110
   A felicidade...111
   Pedagogia da violência...111
   A liberdade de comércio...112

NOTÍCIAS DO FIM DO MILÊNIO 113

S.O.S..118

A SOGA 123

O TEATRO DO BEM E DO MAL

Na luta do Bem contra o Mal, sempre é o povo que contribui com os mortos.

Os terroristas mataram trabalhadores de sessenta países, em Nova York e Washington, em nome do Bem contra o Mal. E em nome do Bem contra o Mal, o presidente Bush jura vingança: "Vamos eliminar o Mal deste mundo", anuncia.

Eliminar o Mal? Que seria do Bem sem o Mal? Não só os fanáticos religiosos precisam de inimigos, para justificar sua loucura. Também precisam de inimigos, para justificar sua existência, a indústria de armamentos e o gigantesco aparato militar dos Estados Unidos. Bons e maus, maus e bons: os atores trocam de máscaras, os heróis passam a ser monstros e os monstros, heróis, segundo exigem os que escrevem o drama.

Nisso não há nada de novo. O cientista alemão Werner von Braun foi mau quando inventou os foguetes V-2 que Hitler lançou sobre Londres, mas transformou-se em bom no dia em que pôs seu talento a serviço dos Estados Unidos.

Stálin foi bom durante a Segunda Guerra Mundial e mau depois, quando passou a dirigir o Império do Mal. Nos anos da guerra fria, escreveu John Steinbeck: "Talvez o mundo todo precise de russos. Aposto que também na Rússia precisam de russos. Talvez eles os chamem de americanos". Depois, os russos se regeneraram. Agora, também Putin diz: "O Mal deve ser castigado".

Saddam Hussein era bom, e boas eram as armas químicas que empregou contra iranianos e curdos. Depois, degenerou-se. Já se chamava Satã Hussein quando os Estados Unidos, que vinham de invadir o Panamá, invadiram o Iraque porque o Iraque tinha invadido o Kuwait. Bush Pai encarregou-se desta guerra contra o Mal. Com o espírito humanitário e compassivo que caracteriza sua família, matou mais de cem mil iraquianos, civis na grande maioria.

Satã Hussein está onde sempre esteve, mas o inimigo número um da humanidade desceu para a categoria de inimigo número dois. O flagelo do mundo, agora, chama-se Osama Bin Laden. A CIA lhe ensinara tudo o que sabe em matéria de terrorismo: Bin Laden, amado e armado pelo governo dos Estados Unidos, era um dos principais "guerreiros da liberdade" contra o comunismo no Afeganistão. Bush Pai ocupava a vice-presidência quando o presidente Reagan disse que estes heróis eram "o equivalente moral dos Pais Fundadores da América". Hollywood estava de acordo com a Casa Branca. Na época, filmou-se o *Rambo 3*: os afegãos muçulmanos eram os bons. Treze anos depois, nos tempos de Bush Filho, são maus malíssimos.

● ● ●

Henry Kissinger foi um dos primeiros a reagir diante da recente tragédia: "Tão culpados quanto os terroristas são aqueles que lhes dão apoio, financiamento e inspiração", sentenciou, com palavras que o presidente Bush repetiu horas depois.

Sendo assim, urgiria começar por bombardear o próprio Kissinger: ele seria culpado de muito mais crimes do que os cometidos por Bin Laden e todos os terroristas do mundo. E em muito mais países: atuando a serviço de vários governos norte-americanos, deu "apoio, financiamento e inspiração" ao terror de estado na Indonésia, no Camboja, em Chipre, no Irã, na África do Sul, em Bangladesh e nos países sul-americanos que sofreram a guerra suja da Operação Condor.

Em 11 de setembro de 1973, exatamente 28 anos antes dos incêndios de hoje, ardia o palácio presidencial no Chile. Kissinger antecipara o epitáfio de Salvador Allende e da democracia chilena, ao comentar o resultado das eleições: "Não temos por que aceitar que um país se torne marxista pela irresponsabilidade de seu povo".

O desprezo pela vontade popular é uma das muitas coincidências entre o terrorismo de estado e o terrorismo privado. Um exemplo é o ETA, que mata pessoas em nome da independência do País Basco e afirma através de um de seus porta-vozes: "Os direitos não têm nada a ver com maiorias e minorias".

Muito se parecem entre si o terrorismo artesanal e o de alto nível tecnológico, o terrorismo dos fundamentalistas religiosos e o dos fundamentalistas de mercado, o terrorismo dos desesperados e o dos poderosos, o dos loucos soltos e o dos profissionais de uniforme. Todos compartilham o mesmo desprezo pela vida humana: os assassinos dos três mil cidadãos triturados sob os escombros das torres gêmeas, que desabaram como castelos de areia seca, e os assassinos dos duzentos mil guatemaltecos, em sua maioria indígenas, que foram exterminados sem que as tevês e os jornais do mundo lhes dessem a mínima atenção. Eles, os guatemaltecos, não foram sacrificados por nenhum fanático muçulmano, mas pelos militares terroristas que receberam "apoio, financiamento e inspiração" dos sucessivos governos dos Estados Unidos.

Todos os enamorados da morte coincidem também em sua obsessão por reduzir a termos militares as contradições sociais, culturais e nacionais. Em nome do Bem contra o Mal, em nome da Única Verdade, todos resolvem tudo matando primeiro e perguntando depois. E, por tal caminho, acabam alimentando o inimigo que combatem. Foram as atrocidades do Sendero Luminoso que em grande medida incubaram o presidente Fujimori, que com considerável apoio popular implantou um regime de terror e vendeu o Peru a preço de banana. Foram as atrocidades dos Estados Unidos no Oriente Médio que em grande medida incubaram a guerra santa do terrorismo de Alá.

● ● ●

Suposto que agora o líder da Civilização esteja exortando a uma nova Cruzada, Alá é inocente dos crimes que se cometem em seu nome. Ao fim e ao cabo, Deus não ordenou o holocausto nazista contra os fiéis de Jeová e não foi Jeová quem decretou a matança de Sabra e Chatila e a expulsão dos palestinos de sua terra. Acaso Jeová, Alá e Deus, a rigor, não são três nomes de uma mesma divindade?

Uma tragédia de equívocos: já não se sabe quem é quem. A fumaça das explosões faz parte de uma muito maior cortina de fumaça que nos impede de ver. De vingança em vingança, os terrorismos nos obrigam a caminhar aos tombos. Vejo uma foto, recentemente publicada: numa parede de Nova York, uma mão escreveu "Olho por olho deixa todo mundo cego".

A espiral da violência engendra violência e também confusão: dor, medo, intolerância, ódio, loucura. Em Porto Alegre, no início deste ano, o argelino Ahmed Ben Bella advertiu: "Este sistema, que já enlouqueceu as vacas, está enlouquecendo os homens". E os loucos, loucos de ódio, atuam imitando o poder que os gera.

Um menino de três anos, chamado Luca, comentou um dia desses: "O mundo não sabe onde está sua casa". Ele estava olhando um mapa. Não estava olhando o noticiário.

2001

SÍMBOLOS

Negócio

"A guerra contra o terrorismo será longa", anunciou o presidente do planeta. Má notícia para os civis que estão morrendo e morrerão, excelente notícia para os fabricantes de armas.

Não importa que as guerras sejam eficazes. O que importa é que sejam lucrativas. Desde o 11 de setembro, as ações da General Dynamics, Lockheed, Northrop Grumman, Raytheon e outras empresas da indústria bélica subiram verticalmente em Wall Street. A bolsa as ama.

Como já ocorreu nos bombardeios do Iraque e da Iugoslávia, a televisão raramente mostra as vítimas no Afeganistão: está ocupada na exibição da passarela de novos modelos de armas. Na era do mercado, a guerra não é uma tragédia, mas uma feira internacional. Os fabricantes de armas precisam de guerras como os fabricantes de abrigos precisam de invernos.

Hollywood

A realidade imita o cinema: tudo explode, os meninos recebem mísseis da fita *Atlantis* na caixinha feliz do McDonald's e é cada vez mais difícil distinguir o sangue do ketchup.

Agora o Pentágono encarregou alguns roteiristas de cinema e expertos em efeitos especiais de ajudar a adivinhar os novos objetivos terroristas e a melhor maneira de defendê-los. Segundo a revista *Variety*, um dos que está nisso é o roteirista de *Duro de matar*.

Vestuário

Numa das imagens mais difundidas, o duro de matar Osama Bin Laden traz um turbante, mas veste uma túnica de serviço do exército dos Estados Unidos e em seu pulso reluz um relógio Timex, *made in USA*.

Ele é também *made in USA*, como os demais fundamentalistas islâmicos que a CIA recrutou e armou, desde quarenta países, contra o comunismo ateu no Afeganistão. Quando os Estados Unidos celebraram sua vitória naquela guerra, a presidenta do Paquistão, Benazir Bhutto, em vão alertou Bush Pai: "Vocês criaram um monstro, como o doutor Frankenstein".

E comprovou-se, uma vez mais, que os corvos arrancam os olhos de quem os cria. Mas o *sponsor* continua a aproveitar-se deles. Agora os fanáticos lhe servem de pretexto para fazer a guerra contra quem quiser e como quiser, para lhe consolidar o domínio universal. E também para dar explicações indiscutíveis. Durante o mês de setembro, as empresas estadunidenses deixaram na rua duzentos mil trabalhadores: "São os números de Bin Laden", sentenciou a Secretária do Trabalho, Elaine Chao.

Um par de semanas antes do desmoronamento das torres, desmoronava a economia mundial, e a revista *The Economist* aconselhava seus leitores: "Consigam um paraquedas". Desde que aconteceu o que aconteceu, quem não conseguir um paraquedas poderá ao menos encontrar um culpado sob medida.

Pânico

A humanidade inteira está sentindo os sintomas do ataque de antraz: vergões, dor de cabeça, aquela mancha na pele que parece uma equimose... Todos temos medo de abrir as cartas, e não porque contenham uma conta impagável de impostos ou de luz, ou a fatal notícia de que lamentamos comunicar que decidimos prescindir de seus serviços.

Os militares da Ucrânia estavam em manobras quando um míssil SA-5 derrubou um avião de passageiros e matou 78 pessoas. Foi por engano ou porque os mísseis inteligentes sabiam que os aviões de passageiros são armas inimigas? Os mísseis inteligentes atacarão agora as agências dos correios?

Armas

Um porta-aviões estadunidense, o *Nimitz*, esteve por um dia em águas uruguaias. A visita me preocupou, pois em meu bairro há um edifício que tem todo um aspecto de mesquita, e com os mísseis inteligentes nunca se sabe.

Felizmente, nada aconteceu. Ou quase nada: uns quantos políticos uruguaios foram convidados a conhecer o porta-aviões, flutuante cidade da morte, e por pouco não se matam. O avião que os levava aterrissou mal e acabou com uma asa na água.

Graças à visita, ficamos sabendo que este porta-aviões custou quatro bilhões e quinhentos milhões de dólares. Segundo os cálculos da UNICEF e de outros organismos das Nações Unidas, com três porta-aviões como o *Nimitz* poder-se-ia dar comida e remédios, durante um ano, para todas as crianças famintas e enfermas do mundo, que estão morrendo num ritmo de trinta e seis mil por dia.

Mão de obra

Não é só o terrorismo islâmico que tem seus guerreiros adormecidos: também o terrorismo de estado. Um dos protagonistas da Operação Condor nos anos das ditaduras militares na América do Sul, o coronel uruguaio Manuel

Cordero, declarou que a guerra suja "é a única maneira" de combater o terrorismo e que são necessários os sequestros, as torturas, os assassinatos e os desaparecimentos. Ele tem experiência e oferece sua mão de obra.

Diz o coronel que ouviu os discursos do presidente Bush e que assim será a terceira guerra mundial que está anunciando. Lamentavelmente, ouviu bem.

Antecedentes

Como o coronel, também o embaixador tem experiência. John Negroponte, representante estadunidense nas Nações Unidas, ameaça levar a guerra "a outros países", e sabe o que diz.

Há alguns anos, ele levou a guerra à América Central. Negroponte foi o padrinho do terrorismo dos *contras* na Nicarágua e dos paramilitares em Honduras. Reagan, o presidente de então, dizia o mesmo que agora dizem o presidente Bush e seu inimigo Bin Laden: vale tudo.

Vítimas

Esta nova guerra, faz-se contra a ditadura talibã ou contra o povo que a padece? Quantos civis assassinarão os bombardeios?

Quatro afegãos que trabalhavam para as Nações Unidas foram os primeiros "danos colaterais" entre aqueles de que se teve notícia. Todo um símbolo: eles se dedicavam a desenterrar minas.

O Afeganistão é o país mais minado do mundo. Em seu solo há dez milhões de minas prontas para matar ou mutilar quem nelas pise. Muitas foram plantadas pelos russos, durante a invasão, e muitas foram plantadas contra os russos, por doação do governo dos Estados Unidos aos guerreiros de Alá.

O Afeganistão nunca aceitou o acordo internacional que proíbe as minas antipessoais. Os Estados Unidos tampouco. E agora as caravanas de fugitivos tentam escapar, a pé ou de burro, dos mísseis que chovem do céu e das minas que explodem na terra.

Rupturas

Rigoberta Menchú, filha do povo maia, que é um povo de tecelões, adverte que estamos "com a esperança num fio".

E assim é. Num fio. No manicômio global, entre um senhor que acha que é Maomé e outro senhor que acha que é Buffalo Bill, entre o terrorismo dos atentados e o terrorismo da guerra, a violência nos está destecendo.

2001

NOTAS DO ALÉM

Informações úteis

A tradição islâmica proíbe tomar vinho na Terra, mas o Corão promete vinho incessante no Céu. O Corão, que condena o adultério na Terra, também promete belas virgens e gentis mancebos, disponíveis em quantidade, para o gozo eterno no Jardim das Delícias que aguarda os mortos virtuosos.

A tradição católica, amiga do vinho no Aquém, não oferece vinho no Além, onde os eleitos de Deus serão submetidos a uma dieta de leite e mel. E segundo o ditame do Papa João Paulo II, no Paraíso os homens e as mulheres estarão juntos, mas "serão como irmãos".

Por influência da vida ultraterrena ou por outros motivos, há trezentos muçulmanos a mais do que os católicos.

Mas quem conhece melhor o Céu não é muçulmano nem católico. O telepastor evangelista Billy Graham, cujas luzes orientam o presidente Bush nas trevas deste mundo, é o único ser humano que foi capaz de medir o reino de Deus. A Billy Graham Evangelistic Association, com sede em Minneapolis, revelou que o Paraíso mede mil e quinhentas milhas quadradas.

No fim do século XX, uma pesquisa do Gallup indicou que oito de cada dez estadunidenses acreditam que os anjos existem. Um cientista do American Institute of Physics (College Park, Md) assegurou ser impossível que mais de dez anjos pudessem dançar ao mesmo tempo numa cabeça de alfinete, e dois colegas do Departamento de Física Aplicada na Universidade de Santiago de Compostela informaram que a temperatura do inferno é de 279 graus.

Enquanto isso, o serviço de telecomunicações de Israel divulgou o número do fax de Deus (00972-25612222) e o endereço do *site* dele (www.kotelkam.com).

Agradeço o milagre

Mensagens escritas por diversas gerações, ao longo de muitos anos, nos ex-votos de lata pintada de igrejas do México:

Em 15 de junho de 1790, um assassino se arrependeu diante da prodigiosa imagem do Senhor dos Prateiros e assim foi ressuscitado o homem que ele matou com uma grande pedra. E para comprovar o milagre, o ressuscitado trouxe a este santuário a pedra sobre a cabeça, no dia seguinte ao do crime.

•

A Sra. Margarita Canales de Gutiérrez dá graças à Virgem Nossa Senhora de Guadalupe, porque no dia 10 de janeiro de 1914 as tropas de Pancho Villa entraram em Ojinaga e violaram sua irmã e ela não.

•

O Sr. Pablo Estrada, desiludido com a morte de sua mãe, recorreu ao suicídio, batendo seis vezes contra si mesmo com um martelo, dando graças à Virgem de São João por lhe ter tirado esse mau pensamento.

•

Dou infinitas graças ao Santo Menino de Atocha por me livrar de uma pena de quarenta anos, pagando-a com apenas oito dias. José Guadalupe de la Rueda, Colônia Penal de Barrientos.

•

Dou graças ao Santo Menino porque tenho três irmãs, sou a mais feia e me casei primeiro.

•

Infinitas graças dou à Virgenzinha das Dores porque ontem à noite minha mulher fugiu com meu compadre Anselmo e assim ele vai pagar por todas que me fez.

•

Dou graças ao Divino Rosto de Acapulco porque matei meu marido e não me fizeram nada. Rosa Perea.

•

O turismo do depois

Enterros celestiais, preços terrenos. Por doze mil e quinhentos dólares, você pode ter seu túmulo no Vale do Silêncio: "Descanse em paz. Na lua", oferece a empresa norte-americana Celestis Inc., que já tem três satélites funerários em órbita. Os foguetes levarão as cinzas dos clientes, partindo da base de Cabo Canaveral. Por um preço adicional de cinco mil e seiscentos dólares, a empresa Earthview oferece um vídeo do lançamento e garante o envio de um epitáfio digital a uma estrela que será batizada com o nome do finado.

Estes foram os dois primeiros epitáfios enviados ao céu:

Que vista magnífica.
Meu espírito está livre para elevar-se.

Lápides

Epitáfios escritos em túmulos de diversos cemitérios, aqui na Terra:

Por querer estar melhor, estou aqui.

Eu lhes disse que não me sentia bem.
Desculpem-me por não levantar.
Nem Deus pode me tirar o que eu gozei.
Cometeu o delito de ser bom.
Esta cinza regada foi boca beijada.
E ainda lhe brotam as frutinhas.
Cumprimentou os conhecidos, abraçou os amigos, beijou os queridos. E foi-se.
Ela não era deste mundo.

O Aquém

Estimado senhor Futuro,
de minha maior consideração:
Escrevo-lhe esta carta para pedir-lhe um favor. V. Sa. haverá de desculpar o incômodo.

Não, não se assuste, não é que eu queira conhecê-lo. V. Sa. há de ser um senhor muito ocupado, nem imagino quanta gente pretenderá ter esse gosto; mas eu não. Quando uma cigana me toma da mão, saio em disparada antes que ela possa cometer essa crueldade.

E no entanto, misterioso senhor, V. Sa. é a promessa que nossos passos perseguem, querendo sentido e destino. E é este mundo, este mundo e não outro mundo, o lugar onde V. Sa. nos espera. A mim e aos muitos que não cremos em deuses que prometem outras vidas nos longínquos hotéis do Além.

Aí está o problema, senhor Futuro. Estamos ficando sem mundo. Os violentos o chutam como se fosse uma pelota. Brincam com ele os senhores da guerra, como se fosse uma granada de mão; e os vorazes o espremem, como se fosse um limão. A continuar assim, temo eu, mais cedo do que tarde o mundo poderá ser tão só uma pedra morta girando no espaço, sem terra, sem água, sem ar e sem alma.

É disso que se trata, senhor Futuro. Eu peço, nós pedimos, que não se deixe despejar. Para estar, para ser, necessitamos que V. Sa. siga estando, que V. Sa. siga sendo. Que V. Sa. nos ajude a defender sua casa, que é a casa do tempo.

Faça por nós essa gauchada, por favor. Por nós e pelos outros: os outros que virão depois, se tivermos um depois.

Saúda V. Sa. atentamente,
Um terrestre.

2001

SATANASES

Os jornais publicaram a notícia: num infausto dia do ano de 1982, o Demônio visitou, em forma de arrumadeira, os quartos do Vaticano. Para conjurar o Demônio, metido no corpo de uma mulher que uivava arrastando-se pelo chão, o Papa João Paulo II pronunciou os velhos exorcismos de seu colega Urbano VIII. Essas fórmulas – martelo e açoite do Diabo – vinham de uma época exitosa. Tinha sido o Papa Urbano VIII quem arrancara da cabeça de Galileu Galilei a diabólica ideia de que o mundo girava ao redor do sol.

Quando o Demônio apareceu na forma de uma estagiária, no Salão Oval da Casa Branca, o presidente Bill Clinton não recorreu ao antiquado método católico. Em troca, para espantar o Satanás, experimentou uns bombardeios sobre o Sudão e o Afeganistão, e depois despachou um furacão de mísseis no céu do Iraque. De pronto, as pesquisas de opinião pública revelaram que o Diabo batia em retirada: oito de cada dez norte-americanos apoiaram o ritual das armas, confirmando, ao mesmo tempo, que Deus estava, como sempre, *on our side*.

Os esconjuros contra o Maligno não cessaram. O Iraque, terra beijada pela boca chamejante de Satã, onde espreitam as serpentes e as armas químicas e biológicas, continua recebendo periódicos ataques aéreos. Também continua sofrendo o castigo do incessante cerco econômico, que o impede de vender e comprar. O bloqueio econômico começara uma década antes, quando George Bush Pai lançou sua própria Cruzada contra esses infiéis do Islã.

A diabada

Depois de seu combate corpo a corpo com o Demônio, o Papa João Paulo II não ficou muito convencido da eficácia diabicida dos esconjuros tradicionais. No princípio deste ano, o Vaticano divulgou o novo Manual do Exorcista, que inclui um guia prático, atualizado, para identificar os endemoniados. O identikit descreve as características inconfundíveis dos possuídos por Satã.

A tarefa será longa, neste mundo grande e alheio. Por volta de 1569, o demonólogo Johann Wier contou os diabos que estavam trabalhando na Terra, em horário integral, pela perdição das almas. Aquele especialista registrou 7.409.127 diabos, divididos em 79 legiões. Desde aquele censo, muita água passou sob as pontes do inferno. Agora, quantos serão? Difícil saber. Os demônios continuam sendo demônios, amigos da noite, tementes ao sal e ao alho, mas suas artes de teatro dificultam a contagem.

Calculando muito por baixo, não seria um exagero estimar que pelo menos oito de cada dez membros do gênero humano merecem estar sob suspeita. Um critério estatístico elementar começaria por contabilizar os gentios que não são brancos: suas peles de cores demoníacas, que vão desde o negro-carvão ao amarelo-enxofre, denunciam uma inclinação natural para o crime. Entre eles, é imprescindível levar em conta o um bilhão e trezentos milhões de membros da seita de Maomé. Há mil e quatrocentos anos esses enganadores usam turbantes para esconder seus cornos e túnicas que cobrem seus rabos de dragão e suas asas de morcego. Dante, contudo, já havia condenado Maomé à pena do trado perpétuo, num dos círculos do inferno n'*A divina comédia*; e dois séculos depois, Martinho Lutero alertara que as hordas muçulmanas, que ameaçavam a Cristandade, não eram formadas por seres de carne e osso, mas eram sim "um grande exército de diabos".

Ao porte da pele dever-se-ia somar o porte de ideias: quantos são os inimigos da ordem? Também eles são hábeis no ofício da transfiguração. Hoje em dia, a cor vermelho-fogo é pouco usada no mundo, mas os subversivos dispõem de todo o arco-íris para se reciclar e sabem muito bem usar máscaras, disfarces e outros ardis aprendidos com seus velhos amigos, os cômicos de outrora.

A missão divina

E a lista não termina aí. Seria preciso somar outras multidões. Tantos são os demônios e os endemoniados que o inferno há de estar vazio.

Mas não se pode generalizar. Entre os muçulmanos, por exemplo, também há santos, como aqueles xeques e reis do deserto que nutrem o Ocidente com petróleo barato e são os melhores compradores de armas. Eles amam tanto a democracia que jamais a usam, para que não se gaste.

Também soube ser santo, até pouco tempo atrás, Saddam Hussein, que afinal é um ditador laico, e continua tendo um primeiro-ministro cristão. Durante os anos da guerra entre Iraque e Irã, ele foi um modelo de santidade. Agora recebe suas vitaminas do inferno, apesar do bloqueio.

O príncipe das trevas, voraz devorador de corpos e almas, não descansa aos domingos; e tampouco seus funcionários. Contra o Iraque, toda a dureza é pouca; toda distração pode ser fatal. Necessita o Pentágono de mais dois bilhões de dólares? Clinton lhe dá doze bilhões. Quando as guerras vão bem, a economia vai melhor.

Em 12 de maio de 1996, Lesley Stahl entrevistou a chanceler Madeleine Albright no programa de tevê *Sessenta minutos*. Referindo-se às sanções econômicas contra o Iraque, que estrangulam o país, o jornalista perguntou:

– Fala-se que, em consequência das sanções, morreu meio milhão de crianças iraquianas. Você acredita que vale a pena?

– Nós acreditamos que vale a pena – respondeu a senhora Albright.

Três anos depois, tudo indica que o exorcismo vai longe. "É mais difícil matar um fantasma do que uma realidade", constatou, já faz uns quantos anos, a romancista Virginia Woolf.

1999

ESPELHOS BRANCOS PARA CARAS NEGRAS

A heroica virtude

O Vaticano está fabricando santos no vertiginoso ritmo de nosso tempo. Nos últimos vinte anos, o Papa João Paulo II beatificou mais de novecentos virtuosos e canonizou quase trezentos.

Na cabeça da lista de espera, favorito entre os candidatos à santidade, figura o escravo negro Pierre Toussaint. É voz corrente que sem demora o Papa lhe aplicará a auréola, "por mérito de sua heroica virtude".

Pierre Toussaint tinha o nome igual ao de Toussaint Louverture, seu contemporâneo, que também foi negro, escravo e haitiano. Mas esta uma imagem invertida no espelho: enquanto Toussaint Louverture encabeçava a guerra pela liberdade dos escravos do Haiti, contra o exército de Napoleão Bonaparte, o bom Pierre Toussaint praticava a abnegação da servidão. Lambendo até o fim de seus dias os pés de sua proprietária branca, exerceu a "heroica virtude" da submissão: para exemplo de todos os negros do mundo, nasceu escravo e escravo morreu, cheirando a santidade, feliz por ter feito o bem sem olhar a quem. Além da obediência perpétua, e dos numerosos sacrifícios que fez pelo bem-estar de sua ama, atribuem-se-lhe alguns outros milagres de menor importância.

O santo da vassoura

São Martín de Porres foi o primeiro cristão de pele escura admitido no branquíssimo santoral da Igreja Católica. Morreu na cidade de Lima, há três séculos e meio, com uma pedra como travesseiro e uma caveira ao lado. Havia sido doado ao mosteiro dos frades dominicanos. Por ser filho de negra escrava, nunca chegou a sacerdote, mas se destacou nas tarefas de limpeza. Abraçando com amor a vassoura, varria tudo; depois, fazia a barba nos padres e assistia os enfermos; e passava as noites ajoelhado em oração.

Ainda que se especializasse no setor Serviços, São Martín de Porres também sabia fazer milagres, e fazia tantos que o bispo teve de proibi-los. Seus raros momentos livres ele aproveitava para açoitar-se nas costas, e enquanto sangrava, gritava para si mesmo: "Cão vil!". Passou toda a vida pedindo perdão pelo seu sangue impuro. A santidade o recompensou na morte.

A pele ruim

Ao início do século dezesseis, nos primeiros anos da conquista europeia, o racismo se impôs nas ilhas do Mar do Caribe. Pretexto e salvo-conduto da aventura colonial, o desprezo racista se realizava plenamente quando se convertia em autodesprezo dos desprezados. Para escapar do trabalho escravo, muitos indígenas se rebelaram e muitos se suicidaram, enforcando-se ou tomando veneno; mas outros se resignaram a outra forma de suicídio, o suicídio da alma, e aceitaram olhar para si mesmos com os olhos do amo. Para se transformar em brancas damas de Castela, algumas mulheres índias e negras untavam o corpo todo com um unguento feito de raízes de um arbusto chamado *guao*. A pasta de *guao* queimava a pele e, segundo se dizia, limpava-a da cor ruim. Um sacrifício vão: depois dos alaridos de dor e das chagas e das bolhas, as índias e as negras continuavam sendo índias e negras.

Séculos depois, em nossos dias, a indústria de cosméticos oferece melhores produtos. Na cidade de Freetown, na costa ocidental da África, um jornalista explica: "Clareando a pele, as mulheres têm mais chance de pescar um marido rico". Freetown é a capital de Serra Leoa: segundo dados oficiais do Serra Leoa Pharmaceutical Board, o país importa legalmente 26 variedades de cremes branqueadores. Outras 150 entram de contrabando.

O cabelo ruim

A revista norte-americana *Ebony*, de luxuosa impressão e ampla circulação, propõe-se a celebrar os triunfos da raça negra nos negócios, na política, na carreira militar, nos espetáculos, na moda e nos esportes. Segundo palavras de seu fundador, *Ebony* "quer promover os símbolos do sucesso na comunidade negra dos Estados Unidos, com o lema: *Eu também posso vencer*".

A revista publica poucas fotografias de homens. Em troca, há numerosas fotos de mulheres: lendo a edição de abril deste ano, contei 182. Dessas 182 mulheres negras, apenas doze tinham o pixaim africano, e 170 exibiam cabelo liso. A derrota do cabelo crespo – "o cabelo ruim", como tantas vezes ouvi dizer – era obra do cabeleireiro ou milagre das poções. Os produtos alisadores ocupavam a maior parte do espaço publicitário dessa edição. Havia anúncios de página inteira de cremes e líquidos oferecidos por Optimum Care, Soft and Beautiful, Dark and Lovely, Alternatives, Frizz Free, TCB Health-Sense, New Age Beauty, Isoplus, CPR Motions e Raveen. Impressionou-me ver que um dos remédios contra o cabelo africano se chama, precisamente, *African Pride* (Orgulho Africano) e, segundo promete, "estica e suaviza como nenhum".

Uma herança pesada

"Parece negro" ou "parece índio" são insultos frequentes na América Latina; e "parece branco" é uma frequente homenagem. A mistura com sangue negro ou índio "atrasa a raça"; a mistura com sangue branco "melhora a espécie". Nos fatos, a chamada *democracia racial* se reduz a uma pirâmide social: o topo é branco, ou se acredita branco; e a base tem cor escura.

Desde a revolução, Cuba é o país latino-americano que mais tem atuado contra o racismo. Até seus inimigos o reconhecem. Definitivamente, ficaram para trás os tempos em que os negros não podiam banhar-se nas praias privadas ("porque tingem a água").

Mas os negros cubanos ainda se multiplicam nos cárceres e se destacam pela ausência nas telenovelas. Uma pesquisa publicada em dezembro de 98, pela revista colombiana *América Negra*, revela que os preconceitos racistas sobrevivem na sociedade cubana, apesar desses quarenta anos de mudança e progresso, e os preconceitos sobrevivem, principalmente, entre suas próprias vítimas: em Santa Clara, três de cada dez negros jovens consideram que os negros são menos inteligentes do que os brancos; e em Havana, quatro de cada dez negros de todas as idades acreditam que são intelectualmente inferiores. "Os negros sempre foram pouco afeitos ao estudo", diz um negro.

Três séculos e meio de escravidão são uma herança pesada e renitente.

1999

FALAM AS PAREDES

Segundo o dicionário da Real Academia Espanhola, as frases que mãos anônimas escrevem nas paredes das cidades se chamam *grafitos* e "são de caráter popular e ocasional, sem transcendência".

Alguma transcendência lhes reconheceu Rudolph Giuliani. Em anos recentes, ao empreender sua cruzada contra a malandragem, o prefeito de Nova York condenou os perigosos autores de palavras e desenhinhos, pois "sujando as paredes revelam uma conduta protocriminosa". Não condenou a conduta protocriminosa das empresas que cobrem as cidades de anúncios publicitários descaradamente mentirosos.

As paredes, acho eu, têm outra opinião. Elas nem sempre se sentem violadas pelas mãos que nelas escrevem ou desenham. Em muitos casos, estão agradecidas. Graças a essas mensagens, elas falam e se divertem. Bocejam de tédio as cidades intatas, que não foram rabiscadas por ninguém nos raros espacinhos não usurpados pelas ofertas comerciais.

Somos muitos os leitores de passagem. E diga o que quiser a respeitável Academia, somos muitos os que a cada dia comprovamos que as anônimas inscrições transcendem seus autores. Alguém, sabe-se lá quem, desafoga sua implicância pessoal, ou transmite alguma ideia que lhe visitou a cabeça, ou desata a tomar as dores por si e pelos outros: às vezes esse alguém está sendo a mão de muitos. Às vezes esse alguém está sendo intérprete de sentimentos coletivos, conquanto não o saiba nem o queira.

Aqui vai uma breve compilação, dividida por temas, de frases que li ultimamente em diversas cidades: nas paredes, que vêm a ser algo assim como as mais democráticas de todas as imprensas.

Tempos modernos

Se a cadeia está cheia de inocentes, onde estão os delinquentes?

Eu não vendo minha mãe. Meu pai já a vendeu.

Escondi tão bem o que pensava que agora não o lembro.

Tanta chuva e tão pouco arco-íris.

E se houver uma guerra e não for ninguém?

Em minha fome, mando eu.

Perguntas

Viver só é tão impossível quanto viver acompanhado?

Os mudos praticam o sexo oral?

O amor morre ou troca de domicílio?

Um parto na rua é iluminação pública?

Se Maria era virgem, Jesus era adotado?

Quando eu for criança, serei poeta?

Delas sobre eles

Homem que não mente é mulher.

Uma mulher sem homem é como um peixe sem bicicleta.

99% dos homens arruina a reputação do resto.

Prometem presente e batem na gente.

Que fazem as mulheres antes de encontrar o homem de seus sonhos? Casam-se e têm filhos.

Atrás de toda mulher feliz há um machista abandonado.

Se Deus fez Adão à sua imagem e semelhança, quem nos defende de Deus?

Deles sobre elas

Mulher que não enche o saco é homem.

A cada dia morrem dezoito mil mulheres e a minha não tem nem dor de cabeça.

O lugar da mulher é em casa e de pé quebrado.

Linda como mulher do outro.

Se se calassem um momento, poderia lhes dizer quanto as amo.

Quando não te cobram, te fazem pagar.

Se as mulheres fossem necessárias, Deus teria uma.

A terceira via

Happy birthgay.

Iguais, mas diferentes.

Somos assim porque nos agrada, embora não lhes agrade.

Contra a natureza é o voto de castidade.

Não tenho medo de mim.

Eu sou Adão mais Eva.

Se Deus me fez assim, Deus é gay.

Todos

Te amo e não posso parar.

Morrer

Por que os cemitérios têm muros, se os que estão dentro não podem sair e os que estão fora não querem entrar?

Os mortos não nos deixam viver porque não os deixamos morrer.

A morte é um mal hereditário.

Falavam tão bem de mim que pensei que tinha morrido.

A morte sempre ganha, mas te dá uma vida de vantagem.

Não te preocupa tanto com a vida, pois dela não sairás vivo.

Todos os deuses foram imortais.

Certo mesmo é o quem sabe.

Zigue-zague

Com o tigre por diante não há burro com reumatismo.
A rua Depois leva à praça Nunca.
Sonhei que tinha insônia.
Eu caminho com olhos nos pés.

2001

LINGUAGENS

Uma carta de amor

Não sei o que te fiz. Queres conversar? Muitos anos de estresse, mas sempre te quero e espero que melhores. Teremos lugar para a ilusão? Vou chamar hoje para ver o que acontece. Todos os beijos.

Traduzida para a língua SMS, esta carta seria escrita assim:

n se q t fz
qrs convsar?
mts aa s3 m smpr t kro espr q mlhrs
terms lug xa ilu?
v chmr hje xa v q acotce
t2 x

O SMS, *Short Messages Service*, serviço de mensagens curtas, vai-se transformando no idioma de muitos adolescentes do mundo e no melhor negócio das empresas de telefonia móvel. A nova linguagem, que já tem dicionários e tudo, nasce da necessidade de economizar letras: os garotos não podem usar mais do que os 160 caracteres da tarifa mínima.

Os adolescentes espanhóis, por exemplo, emitem milhões de mensagens pelo teclado de seus telefones celulares, e já estão escrevendo mais na língua SMS do que na língua de Cervantes. Seus professores estão horrorizados com as calamidades que a mudança está provocando na ortografia e na sintaxe dessa nova geração.

Mea culpa

Terrorismo internacional: *É o uso ilegal da força ou da violência, executado por grupos ou indivíduos que têm alguma conexão com uma potência estrangeira ou cujas atividades transcendem as fronteiras nacionais, contra pessoas ou propriedades, para intimidar ou coagir um governo, uma população civil ou um de seus setores, com fins políticos ou sociais.*

Esta definição do terrorismo é um tanto confusa, mas tem o valor de uma confissão. Provém do FBI – Federal Bureau of Investigations –, instituição oficial do país que maior experiência tem na prática desse mister no mundo todo. (*FBI Policy and Guidelines*, 16 de fevereiro de 1999.)

Sobre os meios

Outra definição. Não é do FBI, mas da mão anônima que a escreveu num muro do bairro de San Telmo, em Buenos Aires, neste tempo de crise atroz. E não se refere ao terrorismo internacional, mas aos meios massivos de comunicação: *Nos mijam e os jornais dizem: chove.*

Da nomenclatura urbana

E mais uma definição. Na cidade de Porto Velho, capital da Rondônia, na Amazônia brasileira, o bairro dos ricos se chama Banco Mundial. Assim o batizaram, com nome certeiro, os habitantes daquele santuário da boa fortuna, rodeados pela desgraça alheia.

Pórticos

Nosso sonho é um mundo sem pobreza. (Grande cartaz na entrada do Banco Mundial, em Washington.)

Proibida a entrada de qualquer pessoa que tenha estado vinculada à sedição. (No *hall* de entrada do Centro Militar do Uruguay, entre cujos membros figuram os sediciosos de uniforme que assaltaram as instituições democráticas em 1973 e exerceram a ditadura militar até 1984.)

O trabalho liberta. (Pórtico do campo de concentração de Auschwitz.)

Tempos modernos

Os alunos das universidades e os pacientes dos hospitais são "clientes".

Os cabeleireiros são "estilistas".

Os jornalistas são "comunicadores".

Os publicitários são "criadores".

"Muito prazer", apresenta-se um contrabandista: "Sou executivo de fronteiras".

Dicionário das cores

Amarelo: símbolo do perigo, nos Estados Unidos, nos anos seguintes ao bombardeio de Pearl Harbor.

Azul: na Roma imperial, a cor dos infernos. Os bárbaros, para provocar o pânico, pintavam-se de azul.

Branco: na Índia, a cor do luto.

Preto: na Europa antiga, símbolo da vida.

Vermelho: cor que vestem as mulheres chinesas, na cerimônia do casamento.

Verde: cor que usam, em suas mensagens publicitárias, as empresas petrolíferas, os gigantes da indústria química e outros benfeitores da natureza.

Cartazes

Preços quase honestos. (Numa loja de Nápoles.)
Analfabeto! Aprende a ler! (Do Ministério da Educação do Chile, durante a campanha de alfabetização.)
Não jogue seu cigarro aqui, porque ninguém vai urinar em seu cinzeiro. (No banheiro de um bar de Bruxelas.)
Proibido sentar-se no balcão. (No Correio da Alfândega de Montevidéu.)
Amados paroquianos, cuidado com seus pertences. (Na igreja de San Felipe Neri, Cidade do México.)
Última chance. Bomba tropical. Dinamite. Bomba energética. Bomba antigripal. Vulcão. (Lista de sucos de frutas oferecidos numa esquina do bairro Laranjeiras, no Rio de Janeiro.)

A letra mais importante

O menino uruguaio Joaquín de Souza está aprendendo a ler e pratica com os cartazes que vê. Ele acredita que a letra P é a mais importante, pois tudo começa com ela:
Proibido entrar
Proibido fumar
Proibido cuspir
Proibido estacionar
Proibido colar cartazes
Proibido jogar lixo
Proibido acender fogo
Proibido fazer ruído
Proibido...

Quando uma palavra é duas

No idioma dos sumérios, "flecha" e "vida" eram iguais: *ti*.

Na língua maia do Yucatán, "beijar" se diz *ts'uts*. "Fumar" também.

Em guarani, *che ha'u* significa "eu como" e também "eu faço amor", e *ñe'e* significa "palavra" e também "alma".

Em quíchua, *suk* é "um" e ao mesmo tempo é "outro".

Na Mongólia, *muhai* quer dizer "horrível" e "querido".

Em russo, "eclipse" também significa "loucura", e o signo chinês da palavra crise expressa "perigo" e também "oportunidade".

2002

ALGUMAS ESTAÇÕES DA PALAVRA NO INFERNO

A palavra e o crime

Em 1995, a American Psychiatric Association publicou um informe sobre a patologia criminal. Qual é, segundo os expertos, o traço mais típico dos delinquentes habituais? *A inclinação para a mentira*. Assim, querendo retratar o criminoso característico, os psiquiatras norte-americanos desenharam o perfeito *identikit* dos homens mais poderosos do planeta.

Em outro informe, publicado meio século antes, a mesma associação de psiquiatras havia diagnosticado que os delinquentes habituais mostravam "uma crônica incapacidade de aprender com a experiência". Acontece que os ladrões de galinha e os navalheiros de subúrbio aprendem com a exitosa experiência dos reis do dinheiro, da política e da guerra. Lá em cima, no topo, "a inclinação para a mentira" é tradição milenar e costume cotidiano. E desde o píncaro social se irradia esta lição universal: quem não mente está frito.

A palavra e a guerra

Num paradoxo do progresso tecnológico, a cada dia estamos mais informados e mais manipulados. Depois das duas guerras contra o Iraque, que continua sendo bombardeado, foi a vez da Iugoslávia: outra manivelada na máquina que vende armas e mente pretextos. Para descarregar seu dilúvio de mísseis sobre a Iugoslávia, o despotismo militar inventou uma "missão humanitária". O sensível coração das potências ocidentais não podia suportar a "limpeza étnica" de Milosevic contra os albaneses de Kosovo. Entre outros instrumentos, a missão humanitária empregou helicópteros chamados Apaches e mísseis chamados Tomahawk. Apaches, Tomahawk: duas palavras que tem a ver com outra limpeza étnica, ocorrida precisamente no país que arrasou seus indígenas antes de se dedicar a redimir o mundo.

Ante a indiferença ou o aplauso de quase toda a opinião pública internacional, os Estados Unidos e seus aliados acabam de celebrar, nos Balcãs, um auto de fé que lançou às chamas a Carta das Nações Unidas, a Carta de Fundação da OTAN, a Convenção de Viena e os Acordos de Helsinki. As grandes potências do Ocidente haviam mentido, assinando com a mão tudo aquilo que depois apagaram com o cotovelo.

O escritor norte-americano John Reed escreveu, em 1917: "As guerras crucificam a verdade".

A palavra e os banqueiros

Aquele John Reed, o escritor, tinha sido amigo de Pancho Villa. Oitenta anos depois, outro John Reed é diretor-executivo do Citibank, e o Citibank é amigo de Raúl Salinas, o voraz irmão de quem fora, até poucos anos antes, presidente do México.

– *Temos uma visão de Gargântua* – diz John Reed, o de agora. – *Aspiramos ter um bilhão de clientes. Um bilhão de amigos.*

Por essas coisas da amizade, o Citibank deu um sumiço em cem milhões de dólares de Raúl Salinas, provenientes do tráfico de drogas. Em nossos dias, o desaparecimento de pessoas é uma especialidade militar, ao passo que os banqueiros se ocupam do desaparecimento do dinheiro. Em sua edição de 14 de dezembro de 98, a revista *Time* publicou as conclusões do Congresso dos Estados Unidos, que investigou este assunto: o Citibank organizou a viagem dos cem milhões de narcodólares através de cinco países, e ajudou Dom Raúl a inventar empresas fantasmas e nomes de fantasia, até que se apagou a pista.

Segundo a revista *Time*, é improvável que a direção do Citibank possa ser processada, pois o banco alega que "ignorava que seu cliente pudesse estar envolvido em atividades criminosas". O Citibank também afirma que "este erro não autoriza que se desconheçam nossos esforços na luta contra a lavagem do dinheiro de origem ilícita".

Este apóstolo da honestidade ocupa o terceiro lugar entre os bancos privados mais poderosos do mundo. Ou seja: o Citibank é um dos seletos membros do governo planetário, que decide tudo, até a frequência das chuvas, nos países devedores.

A palavra e a ajuda

Desventuras da palavra, impunidade de seus estranguladores: o poder predica com o exemplo. Jamais o poder faz o que diz, ou diz o que faz, ou cumpre o que promete.

Em 1974, os países desenvolvidos se comprometeram a destinar 0,7% de seu Produto Interno Bruto à ajuda aos chamados "países em desenvolvimento", o que vinha a ser algo assim como uma minúscula compensação pela quantidade de suco que lhes espremem. Hoje um juramento, amanhã uma traição, como diz o tango: em 1997, a ajuda chegou apenas a 0,2%. Nesse ano, a diferença entre o dito e o feito foi de 120 bilhões de dólares. Segundo o economista espanhol Manuel Iglesia-Caruncho, a diferença entre o prometido e o cumprido, somando-se somente os últimos doze anos, bastaria para pagar toda a dívida externa do chamado Terceiro Mundo.

A palavra e a publicidade

Hoje em dia, a publicidade tem a seu cargo o dicionário da linguagem universal. Se ela, a publicidade, fosse Pinóquio, seu nariz daria várias voltas ao mundo.

"Busque a verdade": *a verdade* está na cerveja Heineken. "Você deve apreciar a autenticidade em todas suas formas": *a autenticidade* fumega nos cigarros Winston. Os tênis Converse são *solidários* e a nova câmara fotográfica da Canon se chama *Rebelde*: "Para que você mostre do que é capaz". No novo universo da computação, a empresa Oracle proclama *a revolução*: "A revolução está em nosso destino". A Microsoft convida ao *heroísmo*: "Podemos ser heróis". A Apple propõe *a liberdade*: "Pense diferente". Comendo hambúrgueres Burger King, você pode manifestar seu *inconformismo*: "Às vezes é preciso rasgar as regras". Contra *a inibição*, Kodak, que "fotografa sem limites". *A resposta* está nos cartões de crédito Diner's: "A resposta correta em qualquer idioma". Os cartões Visa afirmam *a personalidade*: "Eu posso". Os automóveis Rover permitem que "você expresse sua potência", e a empresa Ford gostaria que "a vida estivesse tão bem-feita" quanto seu último modelo. Não há melhor *amiga da natureza* do que a empresa petrolífera Shell: "Nossa prioridade é a proteção do meio ambiente". Os perfumes Givenchy dão *eternidade*; os perfumes Dior, *evasão*; os lenços Hermès, *sonhos e lendas*. Quem não sabe que *a chispa da vida* se acende para quem bebe Coca-Cola? Se você quer *saber*, fotocópias Xerox, "para compartilhar o conhecimento". Contra *a dúvida*, os desodorantes Gillette: "Para você se sentir seguro de si mesmo".

A palavra e a história

Em 1532, o conquistador Pizarro aprisionou o inca Atahualpa, em Cajamarca. Pizarro prometeu-lhe a liberdade, se o Inca enchesse de ouro um grande quarto. O ouro chegou, desde os quatro cantos do império, e abarrotou o quarto até o teto. Pizarro mandou matar o prisioneiro.

Desde antes, desde quando as primeiras caravelas apontaram no horizonte, até nossos dias, a história das Américas é uma história de traição à palavra: promessas quebradas, pactos descumpridos, documentos assinados e esquecidos, enganos, ciladas. "Te dou minha palavra", segue-se dizendo, mas poucos são os que dão, com a palavra, algo mais do que nada.

Não haverá o que aprender com os perdedores, como em tantas outras coisas? Os primeiros habitantes das Américas, derrotados pela pólvora, pelos vírus, pelas bactérias e também pela mentira, compartilhavam a certeza de que a palavra é sagrada, e muitos dos sobreviventes ainda acreditam nisso:

– *Dizem que nós não temos grandes monumentos* – diz um indígena mapuche, ao sul do Chile. – *Para nós, a palavra continua sendo um grande monumento.*

Em língua guarani, *ñe'e* significa "alma" e também significa "palavra":

– *A palavra vale* – diz um indígena avá-guarani, no Paraguai – *porque é nossa alma. Não precisamos colocá-la no papel, para que nos creiam.*

As culturas americanas mais americanas de todas foram desqualificadas, desde o início, como ignorâncias. Em sua maioria, não conheciam a escrita. A *Ilíada* e a *Odisseia*, as obras fundadoras disso que chamam a cultura ocidental, também foram criadas por uma sociedade sem escrita, e suas palavras voam cada vez melhor. Oral ou escrita, a palavra pode ser um instrumento do poder ou ponte de encontro. A desqualificação tinha, e continua tendo, outro motivo muito mais realista: estamos amestrados para ouvir e repetir a voz do vencedor.

A propósito, vale a pena mencionar a importância que teve a palavra, uma só palavra, durante o recente processo contra os militares que executaram a matança da comunidade indígena de Xamán, na Guatemala. A carnificina ocorreu em 1995, já no período que chamam democrático, e havia uma montanha de provas que condenavam os assassinos; mas até agora o assunto deu em nada. A secretária que transcreveu o auto processual cometera um erro ortográfico na qualificação penal: *ejecusión extrajudicial*, escreveu. Os advogados do exército sustentaram que esse delito, escrito assim, *ejecusión*, não existe. O promotor protestou: foi ameaçado de morte e partiu para o exílio.

1999

A MÁQUINA

Sigmund Freud aprendera com Jean-Martin Charcot: as ideias podem ser implantadas, por hipnotismo, na mente humana.

Passou-se mais de um século. Desenvolveu-se muito, desde então, a tecnologia da manipulação. Uma máquina colossal, do tamanho do planeta, manda-nos repetir as mensagens que nos enfia goela abaixo. É a máquina de trair palavras.

•••

O presidente da Venezuela, Hugo Chávez, foi eleito e reeleito, por esmagadora maioria, em pleitos muito mais transparentes do que a eleição que consagrou George W. Bush nos Estados Unidos.

A máquina deu manivela no golpe que tentou derrubá-lo. Não pelo seu estilo messiânico, não pela sua tendência à verborragia, mas pelas reformas que propôs e pelas heresias que cometeu. Chávez tocou nos intocáveis. Os intocáveis, donos dos meios de comunicação e de quase todo o resto, puseram-se a bradar aos céus. Com toda liberdade, denunciaram o extermínio da liberdade. Dentro e fora das fronteiras, a máquina transformou Chávez num "tirano", num "autocrata delirante" e num "inimigo da democracia". Contra ele estava a "cidadania". Com ele, "as turbas", que não se reuniam em locais, mas em "covis".

A campanha midiática foi decisiva na avalancha que desembocou no golpe de estado, programado desde muito contra aquela feroz ditadura que não tinha um só preso político. Ocupou então a presidência um empresário, votado por ninguém. Democraticamente, como primeira medida de governo, dissolveu o Parlamento. No dia seguinte, subiu a Bolsa; mas uma revolta popular devolveu Chávez ao seu legítimo lugar. O golpe midiático conseguiu gerar um poder virtual, comentou o escritor venezuelano Luis Britto García; e pouco durou. A televisão venezuelana, baluarte da liberdade de informação, não se inteirou dessa desagradável notícia.

•••

Entrementes, outro votado por ninguém, que chegou ao poder através de um golpe de estado, desfila com êxito seu novo *look*: o general Pervez Musharraf, ditador militar do Paquistão, transfigurado pelo beijo mágico dos grandes meios de comunicação. Musharraf diz e repete que nem lhe passa pela cabeça a ideia de que seu povo possa votar, mas ele mesmo fez voto de obediência à chamada "comunidade internacional", e este, afinal, é o único voto que importa na hora da verdade.

Quem te viu e quem te vê: ontem, Musharrat era o melhor amigo de seus vizinhos, os talibãs, e hoje se transformou no "líder liberal e corajoso da modernização do Paquistão".

•••

E a todas essas, continua a matança de palestinos, que as fábricas mundiais de opinião pública chamam de "caça aos terroristas". Palestino é sinônimo de "terrorista", mas o adjetivo jamais foi aplicado ao exército de Israel. Os territórios usurpados pelas contínuas invasões militares se chamam sempre "territórios em disputa". E os palestinos, que são semitas, acabam sendo "antissemitas". Há mais de um século eles estão condenados a expiar as culpas do antissemitismo europeu e a pagar, com seu sangue e sua terra, o holocausto que não cometeram.

●●●

Concurso de cabisbaixos na Comissão de Direitos Humanos das Nações Unidas, que aponta sempre para o sul e nunca para o norte.

A Comissão especializa-se em disparar contra Cuba e neste ano tocou ao Uruguai a honra de liderar o pelotão. Outros governos latino-americanos o acompanharam. Nenhum disse: "Faço isto para que me comprem o que eu vendo", nem: "Faço isto para que me emprestem o que eu preciso", nem: "Faço isto para que afrouxem a corda que me aperta o pescoço". A arte do bom governo autoriza não pensar o que se diz, mas proíbe dizer o que se pensa. E a mídia aproveitou a ocasião para confirmar, uma vez mais, que a ilha bloqueada continua sendo o lobo dos três porquinhos.

●●●

No dicionário da máquina, chamam-se "contribuições" os subornos que os políticos aceitam, e "pragmatismo" as traições que cometem. As "boas ações" já não são nobres gestos do coração, mas as ações valorizadas na Bolsa, e é na Bolsa que ocorrem as "crises de valores". Onde se lê "a comunidade internacional exige", leia-se: a ditadura financeira impõe.

●●●

"Comunidade internacional" é também o pseudônimo que resguarda as grandes potências em suas operações militares de extermínio, ou "missões de pacificação". Os "pacificados" são os mortos. Já se prepara a terceira guerra contra o Iraque. Como nas outras duas, os bombardeadores serão as "forças aliadas" e os bombardeados as "hordas de fanáticos a serviço do carniceiro de Bagdá". E os atacantes deixarão no solo atacado um carreiro de cadáveres civis, que serão chamados de "danos colaterais".

Para explicar a próxima guerra, o presidente Bush não diz: "O petróleo e as armas precisam dela e meu governo é um oleoduto e um arsenal". Tampouco diz, para explicar o multimilionário projeto de militarização do espaço: "Vamos anexar o céu assim como anexamos o Texas". Nada disso. É o mundo livre que precisa se defender da ameaça terrorista, aqui na terra como no céu, embora o terrorismo tenha demonstrado que prefere as facas de cozinha aos mísseis. E embora os Estados Unidos se oponham, como também se opõe o Iraque, ao Tribunal Penal Internacional que acaba de nascer para castigar os crimes contra a humanidade.

•••

A regra do poder não é expressar seus atos, mas disfarçá-los; e isso não tem nada de novo. Há mais de um século, na gloriosa batalha de Omdurman, no Sudão, onde Winston Churchill foi cronista e soldado, 48 britânicos sacrificaram suas vidas. Além disso, morreram 27 mil selvagens. A coroa britânica incrementava a fogo e sangue sua expansão colonial e a justificava dizendo: "Estamos civilizando a África através do comércio". Não dizia: "Estamos comercializando a África através da civilização". E ninguém perguntava aos africanos o que achavam do assunto.

Mas nós temos a sorte de viver na era da informação, e os gigantes da comunicação massiva amam a objetividade. Eles permitem que também o inimigo manifeste seu ponto de vista. Durante a guerra do Vietnã, por exemplo, o ponto de vista do inimigo ocupou três por cento das notícias veiculadas pelas cadeias ABC, CBS e NBC.

•••

A propaganda, confessa o Pentágono, integra o gasto bélico. E a Casa Branca incorporou ao gabinete de governo a experiente publicitária Charlotte Beers, que impusera no mercado local certas marcas de alimento para cães e de arroz para pessoas. Agora ela está ocupada em impor no mercado mundial a cruzada terrorista contra o terrorismo. "Estamos vendendo um produto", explica Colin Powell.

●●●

"Para não ver a realidade, o avestruz afunda a cabeça no televisor", conclui o escritor brasileiro Millôr Fernandes.

A máquina dita ordens, a máquina atordoa.

Mas no 11 de setembro também ditaram ordens, também atordoaram, os alto-falantes da segunda torre gêmea de Nova York, quando ela começou a ranger. Enquanto as pessoas fugiam, lançando-se escada abaixo, os alto-falantes mandavam os empregados voltarem aos seus postos de trabalho.

Salvaram-se os que não obedeceram.

2002

ESTE MUNDO É UM MISTÉRIO

Um grupo de extraterrestres visitou recentemente nosso planeta. Eles queriam nos conhecer, por mera curiosidade ou sabe-se lá com que ocultas intenções.

Os extraterrestres começaram por onde deviam começar. Iniciaram a expedição estudando o país que é o número um em tudo, número um até nas linhas telefônicas internacionais: o poder obedecido, o paraíso invejado, o modelo que o mundo inteiro imita. Começaram por ali, tratando de entender o mandachuva para depois entender todos os outros.

•••

Chegaram em tempo de eleições. Os cidadãos acabavam de votar e o prolongado acontecimento havia mantido o mundo todo em suspenso.

A delegação extraterrestre foi recebida pelo presidente que saía. A entrevista teve lugar no Salão Oval da Casa Branca, reservado exclusivamente aos visitantes do espaço sideral, para evitar escândalos. O homem que concluía seu mandato respondeu às perguntas sorrindo.

Os extraterrestres queriam saber se no país vigorava um sistema de partido único, pois tinham ouvido na tevê apenas dois candidatos e os dois diziam a mesma coisa.

E tinham também outras inquietudes:

Por que demoraram mais de mês para contar os votos? Aceitariam os senhores nossa ajuda para superar este atraso tecnológico?

Por que sempre vota apenas a metade da população adulta? Por que a outra metade nunca se dá o trabalho?

Por que ganha aquele que chega em segundo? Por que perde o candidato que tem 328.696 votos de vantagem? A democracia não é o governo da maioria?

E outro enigma os preocupava: por que os outros países aceitam que este país lhes tome a lição de democracia, dite-lhes normas e lhes vigie as eleições?

As respostas os deixaram ainda mais perplexos.

Mas continuaram perguntando:

Aos geógrafos: por que se chama América este país que é um dos muitos países do continente americano?

Aos dirigentes esportivos: por que se chama Campeonato Mundial (*World Series*) o torneio nacional de beisebol?

Aos chefes militares: por que o Ministério da Guerra se chama Secretaria da Defesa, num país que nunca foi invadido por ninguém?

Aos sociólogos: por que uma sociedade tão livre tem o maior número de presidiários do mundo?

Aos psicólogos: por que uma sociedade tão sã engole a metade de todos os psicofármacos que o planeta fabrica?

Aos dietistas: por que tem o maior número de obesos o país que dita o cardápio dos demais países?

Se os extraterrestres fossem simples terrestres, esta absurda perguntalhada teria acabado muito mal. No melhor dos casos, teriam recebido um portaço no nariz. Toda tolerância tem limite. Mas eles seguiram curioseando, a salvo de qualquer suspeita de impertinência, má-educação ou segundas intenções.

E perguntaram aos estrategistas da política externa: se os senhores têm, aqui pertinho, uma ilha onde estão à vista os horrores do inferno comunista, por que não organizam excursões ao invés de proibir as viagens?

E aos signatários do tratado de livre comércio: se agora está aberta a fronteira com o México, por que morre mais de um mexicano por dia querendo cruzá-la?

E aos especialistas em direitos trabalhistas: por que McDonald's e Wal-Mart proíbem os sindicatos, aqui e em todos os países onde operam?

E aos economistas: se a economia duplicou nos últimos vinte anos, por que a maioria dos trabalhadores ganha menos do que antes e trabalha mais horas?

Ninguém negava resposta àquelas figurinhas, que persistiam em seus disparates.

E perguntaram aos responsáveis pela saúde pública: por que proíbem que as pessoas fumem, enquanto fumam livremente os automóveis e as fábricas?

E ao general que dirige a guerra contra as drogas: por que as prisões estão cheias de drogadinhos e vazias de banqueiros lavadores de narcodólares?

E aos diretores do Fundo Monetário e do Banco Mundial: se este país tem a maior dívida externa do planeta, e deve mais do que todos os outros países juntos, por que os senhores não o obrigam a cortar gastos públicos e eliminar seus subsídios?

E aos cientistas políticos: por que os que aqui governam falam sempre de paz, enquanto este país vende a metade das armas de todas as guerras?

E aos ambientalistas: por que os que aqui governam falam sempre no futuro do mundo, enquanto este país gera a maior parte da contaminação que está acabando com o futuro do mundo?

●●●

Quanto mais explicações recebiam, menos entendiam. Mas durou pouco a expedição. Os turistas se deram por vencidos.

2002

TROFÉUS

1.

Apesar dos terroristas que nascem, com certa frequência, em suas sagradas areias, a Arábia Saudita é o principal bastião do Ocidente no Oriente Médio.

Uma monarquia democrática: a cada dia vende aos Estados Unidos um milhão e meio de barris de petróleo, a baixo preço, e a cada dia lhe compra armas, a alto preço, por dez milhões de dólares.

Uma monarquia que ama a liberdade: proíbe os partidos políticos e os sindicatos, decapita ou mutila seus prisioneiros ao estilo talibã e não permite que as mulheres dirijam automóveis, nem que viajem sem permissão do marido ou do papai.

Desde maio de 2000, a Arábia Saudita é membro da Comissão de Direitos Humanos das Nações Unidas.

2.

Este reconhecimento internacional dos méritos da Arábia Saudita, que tanto faz pelos direitos humanos de seus cinco mil príncipes, anima-me a propor outras recompensas.

Bem que se poderia, por exemplo, outorgar a Copa Mundial da Democracia Representativa à empresa petrolífera Unocal, dos Estados Unidos. Antes de conseguir emprego como presidente do Afeganistão, o elegante Hamid Karzai trabalhava para a empresa, e outro tanto fazia Zalmay Khalilzad, que agora é delegado do governo de Washington em Cabul. A chuva de mísseis que varreu a tirania dos talibãs limpou o caminho para a democracia representativa dos representantes da Unocal, que já estão começando a concretizar seu velho projeto: o gasoduto que permitirá a saída do gás do Mar Cáspio para o Ocidente, através do território afegão.

3.

Numerosos candidatos fariam jus, quem sabe, ao galardão latino-americano das Mãos Limpas.

Um final cabeça a cabeça: muitos são os governantes que cobraram caro pelos serviços prestados aos seus países, neste últimos anos da grande rifa das privatizações.

Raúl Salinas, irmão daquele que foi presidente do México, era chamado "Senhor Quinze por Cento". Carlos Menem criou a Secretaria de Assuntos Especiais para tornar efetivas suas comissões. O filho do presidente equatoriano Abdalá Bucaram fez uma festa para celebrar seu primeiro milhão. Com aquilo que foi encontrado nas contas de Vladimiro Montesinos, braço direito do presidente peruano Fujimori, poder-se-ia construir quinhentas escolas.

Enquanto foi prefeito de Manágua e presidente da Nicarágua, Arnoldo Alemán, que vale seu peso em ouro, aumentou sua fortuna de 26 mil dólares para 250 milhões, segundo denunciou quem lhe conhece os negócios, seu embaixador junto à União Europeia. Foi para chegar a isto que Ronald Reagan dessangrou, numa longa guerra, um dos países mais pobres do mundo?

4.

Também me atrevo a sugerir que se conceda à empresa Daimler-Chrysler o troféu da Responsabilidade Social.

No ano passado, no Fórum de Davos, que é algo assim como o Fórum de Porto Alegre ao contrário, um diretor da Daimler-Chrysler pronunciou o discurso mais aplaudido. Jürgen Shrempp emocionou a assistência exortando à "responsabilidade social das empresas no mundo de hoje". De hoje, ele disse. No dia seguinte, sua empresa despediu 26 mil trabalhadores.

5.

Para seguir com as felicitações, creio que George W. Bush merece o Prêmio da Honestidade Involuntária.

Como se sabe, o presidente da humanidade tem alguns problemas com a boca. Apesar dos conselhos de sua mamãe, às vezes se esquece de mastigar antes de engolir e se engasga com algum *pretzel* marca Enron. E amiúde se enreda com as palavras que diz e acaba dizendo o que deveras pensa. Suas dificuldades de expressão atuam a serviço da verdade. A 2 de março do ano passado, para dar um exemplo, Bush declarou: "Quero comunicar esta equívoca mensagem ao mundo: é preciso abrir os mercados".

Equívoca mensagem, como bem disse. Nos Estados Unidos, mercado fechado, multiplicaram-se por sete os subsídios agrícolas nos últimos cinco anos. E entrementes, nos países do sul do mundo, mercados abertos, milhões e milhões de trabalhadores agrícolas foram condenados a viver como o caracol, que pode passar um ano sem comer.

6.

O prêmio à Impunidade do Poder deveria ser atribuído à revista *Newsweek*.

Um par de meses depois da queda das torres, a revista publicou um artigo de seu jornalista-estrela, Jonathan Alter, que sem papas na língua recomenda a tortura. O jornalista se promove desenvolvendo as ideias do presidente Bush, que em seus discursos avisara: de agora em diante, vale tudo. Segundo o artigo, a tortura é o método mais adequado para fazer frente ao inimigo nos tempos vindouros.

O jornalista não diz, porque isto não se diz, mas a guerra contra Satã e a guerra contra o terrorismo não são pretextos novos para o exercício do terror de estado. Desde os verdugos da Inquisição até os militares que aprenderam a torturar na Escola das Américas, sabe-se que a tortura não é muito eficaz para arrancar informação, mas é eficacíssima para semear o medo.

7.

O prêmio ao Dinamismo da Economia teria de ser concedido, parece-me, à indústria do medo.

Agora que se privatiza tudo, também se privatiza a ordem. A delinquência cresce e assusta. No Brasil, as empresas privadas de segurança formam um exército cinco vezes mais numeroso do que as Forças Armadas. Somando-se os empregados legais e os ilegais, chega-se ao milhão e meio.

Este é o setor mais dinâmico da economia no país mais injusto do mundo. Uma implacável cadeia produtiva: o Brasil produz injustiça que produz violência que produz medo que produz trabalho.

8.

A Medalha do Mérito Militar deveria ser pendurada no peito do aposentado Norberto Roglich.

Aconteceu na Argentina, no início deste ano. Em plena guerra contra o povo, os bancos tinham confiscado os depósitos. Roglich, aposentado, doente, desesperado, lançou-se ao assalto de uma fortaleza financeira. Na mão, uma granada:

– *Ou me dão meu dinheiro ou todos vamos voar.*

A granada era de brinquedo, mas lhe devolveram o dinheiro.

Depois, foi preso. O promotor pediu de oito a dezesseis anos de prisão: para ele, não para o banco.

9.

Não tenho dúvida. O troféu das Ciências Sociais ficaria muito bem nas mãos de Catalina Álvarez-Insúa. Ela definiu a pobreza melhor do que ninguém:

– *Pobres são os que têm a porta fechada.*

Aplicando-se o critério dela, impõe-se uma correção dos cálculos: os pobres do mundo são muito mais numerosos do que os confessados pelas estatísticas.

Catalina tem três anos de idade. A melhor idade para olhar o mundo, e ver.

2002

O ESPELHO

Os irmãos gêmeos não precisam de espelho. Cada gêmeo é o espelho de seu irmão.

Joseph Stiglitz foi vice-presidente do Banco Mundial até o início deste ano. Em abril, como despedindo-se, publicou na revista *The New Republic* um artigo que retrata, sem piedade, uma organização todo-poderosa: não o Banco Mundial, em cujos píncaros esteve sentado, mas o Fundo Monetário Internacional. O retrato produziu também um involuntário autorretrato. Se Deus quiser e a Virgem, o vice-presidente do Fundo Monetário Internacional nos oferecerá, ao aposentar-se, a verdadeira fotografia de frente e perfil do Banco Mundial, que será idêntica àquela de seu irmão gêmeo. "Porque o mesmo é o mesmo e além disso é igual", como bem diz um anônimo filósofo que perambula pelos cafés do meu bairro; e porque a ditadura financeira universal é exercida a dois, mas os dois são um, segundo o mistério da Santíssima Dupla.

O sol que veio do oeste

O retrato traçado por Stiglitz parece obra de um daqueles milhares de artistas da denúncia que armaram um tremendo alvoroço em Seattle, Washington e Praga.

Os irmãos gêmeos haviam projetado a reunião de Praga, prevista desde alguns anos, como uma celebração. O evangelho do mundo livre e o catecismo do livre mercado tinham salvo os países do leste, e o milagre merecia uma festa.

Acaso fracassou a festa por culpa dos convidados de pedra, esses provocadores que têm o mau costume de meter o nariz onde não são chamados? Eis aqui o milagre, segundo Stiglitz: "A rápida privatização exigida de Moscou pelo FMI e pelo Departamento do Tesouro dos Estados Unidos permitiu que um reduzido grupo de oligarcas se apoderasse dos bens públicos (...). Enquanto o governo não dispunha de fundos para pagar as pensões, esses oligarcas enviavam às suas contas nos bancos do Chipre e da Suíça o dinheiro proveniente do desmantelamento do estado e da venda dos preciosos recursos nacionais (...). Tão só dois por cento da população vivia na pobreza, ao final do triste período soviético, mas a 'reforma' elevou a taxa de pobreza a quase 50%, com mais da metade das crianças russas vivendo aquém de suas necessidades mínimas".

O computador infiel

Um desenho de Plantu, publicado no *Le Monde*, mostra um taxista de olhos rasgados levando um passageiro. O passageiro é um técnico do Fundo Monetário. O taxista pergunta:

– O senhor vem à Ásia com frequência?
– Não. Mas te ensinarei o caminho.

Stiglitz diz a mesma coisa de outro modo: "Quando o FMI decide ajudar um país, despacha uma 'missão' de economistas. Frequentemente, esses economistas carecem de experiência no país; conhecem melhor os hotéis de cinco estrelas do que as aldeias do campo". E conta: "Ouvi versões sobre um infortunado incidente. Uma dessas equipes de técnicos copiou uma extensa parte do relatório sobre um país e a passou, tal como estava, ao relatório sobre outro país. Teria ficado por isso mesmo, não fosse o processador de texto, que não funcionou como devia e deixou o nome do país original em alguns parágrafos". E comenta: "Uuuui".

Além de exercer, até há pouco, a vice-presidência do Banco Mundial, Stiglitz foi também chefe de seus economistas. Vê-se que foi mais cuidadoso com os computadores na hora de processar, para cada país, os projetos fabricados em série.

Tal e qual

O Egito sofreu nada menos do que sete pragas, mas isso ocorreu muito antes da globalização. As calamidades de agora são programadas e aplicadas em escala universal.

Escreve Stiglitz: "O FMI não gosta que lhe façam perguntas. Na teoria, ajuda as instituições democráticas nos países onde opera. Na prática, solapa o processo democrático ao impor suas políticas".

E pressente as explosões de protesto: "Dirão que o FMI é arrogante. Dirão que o FMI não escuta os países em desenvolvimento aos quais se supõe que ajuda. Dirão que o FMI funciona em segredo e sem contabilidade democrática. Dirão que os 'remédios' do FMI amiúde pioram as coisas... E não lhes faltará razão".

Exatamente o mesmo dirão do Banco Mundial, e tampouco lhes faltará razão.

Mas o presidente do Banco Mundial, James Wolfensohn, é um incompreendido: "É desmoralizante ver toda essa mobilização por justiça social, quando nós a colocamos em prática todos os dias. Ninguém no mundo está fazendo tanto pelos pobres quanto nós", diz. E como expressa o Banco Mundial esse amor pelos pobres? Como seu irmão gêmeo: multiplicando-os.

2001

A MONARQUIA UNIVERSAL

Já desmoronou a cortina de ferro, como se fosse de purê, e as ditaduras militares são um pesadelo que muitos países deixaram para trás.

Vivemos, então, num mundo democrático? Inaugura este século XXI a era da democracia sem fronteiras? Um luminoso panorama, com umas poucas nuvens negras que confirmam a claridade do céu?

Os discursos prestam pouca atenção aos dicionários. Segundo os dicionários de todas as línguas, a palavra democracia significa "governo do povo". E a realidade do mundo de hoje se parece, antes, com uma poderocracia: uma poderocracia globalizada.

Dia após dia, em cada país mais e mais vão-se estreitando as margens de manobra dos políticos locais, que em regra prometem o que não farão e raramente têm a honestidade e a coragem de anunciar o que farão. Chama-se realismo o exercício do governo como dever de obediência: o povo assiste às decisões que, em seu nome, tomam os governos governados pelas instituições que nos governam a todos, em escala universal, sem necessidade de eleições.

A democracia é um erro estatístico, costumava dizer dom Jorge Luis Borges, porque na democracia decide a maioria e a maioria é formada de imbecis. Para evitar esse erro, o mundo de hoje outorga o poder de decisão ao grupinho que o comprou.

O FMI e o Banco Mundial

Na época do esplendor democrático de Atenas, uma pessoa em cada dez tinha direitos civis. As outras nove, nada. Vinte e cinco séculos depois, evidencia-se que os gregos, em matéria de generosidade, abriam demais a mão.

Cento e oitenta e dois países integram o Fundo Monetário Internacional. Destes, 177 não piam nem apitam. O Fundo Monetário, que dita ordens ao mundo inteiro e em todos os lugares decide o destino humano e a frequência do voo das moscas e a altura das ondas, está nas mãos dos cinco países que detêm 40% dos votos: Estados Unidos, Japão, Alemanha, França e Grã-Bretanha. Os votos dependem dos aportes de capital: o que mais tem, mais pode. Vinte e três países africanos, juntos, somam 1%; os Estados Unidos, 17%. A igualdade de direitos, traduzida em fatos.

O Banco Mundial, irmão gêmeo do FMI, é mais democrático. Não são cinco os que decidem, são sete. Cento e oitenta países integram o Banco Mundial. Destes, 173 aceitam o que ordenam os sete países donos de 45% das ações do banco: Estados Unidos, Alemanha, Japão, Grã-Bretanha, França, Itália e Canadá. Os Estados Unidos, de resto, têm o poder de veto.

As Nações Unidas

O poder de veto significa, em última instância, todo o poder. A Organização das Nações Unidas é algo assim como a grande família que a todos nos reúne. Na ONU, os Estados Unidos compartilham o poder de veto com a Grã-Bretanha, França, Rússia e China: os cinco maiores fabricantes de armas, que graças aos céus zelam pela paz mundial. Estas são as cinco potências que tomam as decisões quando o feijão passa do ponto, na mais alta instituição internacional.

Os demais países têm a possibilidade de formular recomendações – que isso, afinal, não se nega a ninguém.

A Organização Mundial do Comércio

Existem direitos que são outorgados para não ser usados. Na Organização Mundial do Comércio, todos os países podem votar em igualdade de condições. Mas jamais se vota. "O voto por maioria é possível, mas nunca foi utilizado na OMC e era muito raro no GATT, o organismo que a antecedeu", informa sua página oficial na Internet. As resoluções da Organização Mundial do Comércio são tomadas por consenso e a portas fechadas, que se bem me lembro era o sistema adotado pelas cúpulas do poder estalinista, para evitar o escândalo da dissidência, antes da vitória da democracia no mundo.

Assim, a OMC patrocina em segredo, impunemente, o sacrifício de centenas de milhões de pequenos agricultores em todo o planeta, nos altares da liberdade de comércio. Nem tão em segredo e nem tão impunemente, no entanto: até há pouco, ninguém sabia muito bem o que era a OMC, mas as coisas mudaram desde que cinquenta mil desobedientes tomaram as ruas da cidade de Seattle, no fim do ano passado, e desnudaram ante a opinião pública um dos reis da monarquia universal.

Os manifestantes de Seattle foram chamados delinquentes, loucos, desorientados, pré-históricos e inimigos do progresso pelos grandes meios de comunicação. Por algo será.

2000

NEM DIREITOS NEM HUMANOS

Se a maquinaria militar não mata, oxida-se. O presidente do planeta anda passeando o dedo pelos mapas, para ver sobre qual país cairão as próximas bombas. A guerra do Afeganistão foi um êxito: castigou os castigados e matou os mortos; e já fazem falta novos inimigos.

Mas as bandeiras não têm nada de novo: a vontade de Deus, a ameaça terrorista e os direitos humanos. Tenho a impressão de que George W. Bush não é exatamente o tipo de tradutor que Deus escolheria, se tivesse algo a nos dizer; e o perigo terrorista se torna cada vez menos convincente como pretexto do terrorismo militar. E os direitos humanos? Ainda serão alegações úteis a quem deles faz purê?

•••

Há mais de meio século as Nações Unidas aprovaram a Declaração Universal dos Direitos do Homem, e não há documento internacional mais citado e elogiado.

Não é criticar por criticar: nessa altura, parece-me evidente que à Declaração falta muito mais do que aquilo que tem. Por exemplo, ali não figura o mais elementar dos direitos, o direito de respirar, que se tornou impraticável neste mundo onde os pássaros tossem. Nem figura o direito de caminhar, que já passou à categoria de façanha, ao remanescerem apenas duas classes de caminhantes, os ligeiros e os mortos. E tampouco figura o direito à indignação, que é o menos que a dignidade humana pode exigir quando condenada a ser indigna; e nem o direito de lutar por outro mundo possível, ao tornar-se impossível o mundo tal qual é.

Nos trinta artigos da Declaração, a palavra liberdade é a que mais se repete. A liberdade de trabalhar, receber salário justo e fundar sindicatos, para exemplificar, está garantida no artigo 23. Mas são cada vez mais numerosos os trabalhadores que, hoje em dia, não têm sequer a liberdade de escolher o tempero com que serão devorados. Os empregos duram menos do que um suspiro, e o medo obriga a calar e obedecer: salários mais baixos, horários mais dilatados, e lá para as calendas vão as férias pagas, a aposentadoria, a assistência social e demais direitos que todos temos, conforme asseguram os artigos 22, 24 e 25. As instituições financeiras internacionais, as Meninas Superpoderosas do mundo contemporâneo, impõem a "flexibilização da legislação trabalhista", eufemismo que designa o sepultamento de dois séculos de conquistas operárias. E as grandes empresas internacionais exigem acordos *union free*, livres de sindicatos, nos países que competem entre si para oferecer mão de obra submissa e barata. "Ninguém será mantido em escravatura ou em servidão", adverte o artigo 4. Menos mal.

Não figura na lista o direito humano de desfrutar os bens naturais, terra, água, ar, e de defendê-los contra qualquer ameaça. Tampouco figura o direito suicida de exterminar a natureza, exercitado com entusiasmo pelos países que compraram o planeta e estão a devorá-lo. Os demais países pagam a conta. Num mundo que tem o costume de condenar as vítimas, a natureza leva a culpa dos crimes que contra ela são cometidos.

"Toda pessoa tem o direito de circular livremente", afirma o artigo 13. Circular, sim. Entrar, não. As portas dos países ricos se fecham nos narizes de milhões de fugitivos que peregrinam do sul para o norte, e do leste para oeste, fugindo das lavouras aniquiladas, dos rios envenenados, das florestas arrasadas, dos mercados despóticos e dos salários nanicos. Uns quantos morrem na tentativa, mas outros conseguem se esgueirar por baixo da porta. E lá dentro, na terra prometida, eles são os menos livres e os menos iguais.

Todos os seres humanos nascem livres e iguais em dignidade e direitos, diz o artigo 1. Que nasçam, vá lá, mas poucos minutos depois já se faz o reparte. O artigo 28 estabelece que "todos temos direito a uma justa ordem social e internacional". As mesmas Nações Unidas nos informam, em suas estatísticas, que quanto mais progride o progresso, menos justo se torna. A partilha dos pães e dos peixes é muito mais injusta nos Estados Unidos e na Grã-Bretanha do que em Bangladesh ou em Ruanda. E na ordem internacional, os numerozinhos das Nações Unidas também revelam que dez pessoas possuem mais riqueza do que toda a riqueza produzida por 54 países juntos. Dois terços da humanidade sobrevivem com menos de dois dólares diários, e a distância entre os que têm e os que precisam triplicou desde a assinatura da Declaração Universal dos Direitos do Homem.

Cresce a desigualdade e para salvaguardá-la crescem os gastos militares. Obscenas fortunas alimentam a febre guerreira e promovem a invenção de demônios para justificá-la. O artigo 11 nos garante que toda pessoa é inocente enquanto não se prove o contrário. Do jeito que vão as coisas, daqui a pouco será culpada de terrorismo qualquer pessoa que não caminhe de joelhos, ainda que se prove o contrário.

A economia de guerra multiplica a prosperidade dos prósperos e cumpre funções de intimidação e castigo. Ao mesmo tempo, irradia sobre o mundo uma cultura militar que sacraliza a violência exercida contra aquela gente "diferente", que o racismo reduz à categoria de subgente. Ninguém poderá ser discriminado por seu sexo, raça, religião ou qualquer outra condição, adverte o artigo 2, mas as novas superproduções de Hollywood, ditadas pelo Pentágono para glorificar as aventuras imperiais, pregam um racismo clamoroso que herda as piores tradições do cinema. E não só do cinema. Há poucos dias, por acaso, caiu em minhas mãos uma revista das Nações Unidas, de novembro de 86, edição em inglês do *Correio da Unesco*. Ali fiquei sabendo que um antigo cosmógrafo escrevera que os indígenas das Américas tinham a pele azul e a cabeça quadrada. Chamava-se, acredite-se ou não, John of Hollywood.

•••

A Declaração proclama, a realidade trai. Ninguém poderá suprimir nenhum destes direitos, assegura o artigo 30, mas há alguém que bem poderia comentar: "Não vê que eu posso?". Alguém, ou seja: o sistema universal de poder, sempre acompanhado pelo medo que infunde e pela resignação que impõe.

Segundo o presidente Bush, os inimigos da humanidade são o Iraque, o Irã e a Coreia do Norte, principais candidatos para seus próximos exercícios de tiro ao alvo. Suponho que chegou a essa conclusão ao cabo de profundas meditações, mas sua certeza absoluta me parece, ao menos, passível de dúvida. E o direito à dúvida, afinal, também é um direito humano, embora não o mencione a Declaração das Nações Unidas.

2002

UM TEMA PARA ARQUEÓLOGOS?

A cada semana, mais de noventa milhões de clientes acorrem às lojas Wal-Mart. Aos seus mais de novecentos mil empregados é vedado filiar-se a qualquer sindicato. Quando um deles tem essa ideia, passa a ser um desempregado a mais. A vitoriosa empresa, sem nenhum disfarce, nega um dos direitos humanos proclamados pelas Nações Unidas: a liberdade de associação. O fundador da Wal-Mart, Sam Walton, recebeu em 1992 a Medalha da Liberdade, uma das mais altas condecorações dos Estados Unidos.

Um de cada quatro adultos norte-americanos e nove de cada dez crianças comem no McDonald's a comida plástica que os engorda. Os empregados do McDonald's são tão descartáveis quanto a comida que servem: são moídos pela mesma máquina. Também eles não têm o direito de se sindicalizar.

Na Malásia, onde os sindicatos de operários existem e atuam, as empresas Intel, Motorola, Texas Instruments e Hewlett Packard conseguiram evitar esse aborrecimento, graças a uma gentileza do governo.

Também não podiam agremiar-se as 190 operárias que morreram queimadas na Tailândia, em 1993, no galpão trancado por fora onde fabricavam os bonecos de Sesame Street, Bart Simpson e os Muppets.

Durante sua disputa eleitoral, Bush e Gore coincidiram na necessidade de continuar impondo ao mundo o modelo norte-americano de relações trabalhistas. "Nosso estilo de trabalho", como ambos o chamaram, é o que está determinando o ritmo da globalização, que avança com botas de sete léguas e entra nos mais remotos rincões do planeta.

A tecnologia, que aboliu as distâncias, permite agora que um operário da Nike na Indonésia tenha de trabalhar cem mil anos para ganhar o que ganha, em um ano, um executivo da Nike nos Estados Unidos, e que um operário da IBM nas Filipinas fabrique computadores que ele não pode comprar.

É a continuação da era colonial, numa escala jamais vista. Os pobres do mundo seguem cumprindo sua função tradicional: proporcionam braços baratos e produtos baratos, ainda que agora produzam bonecos, tênis, computadores ou instrumentos de alta tecnologia, além de produzir, como antes, borracha, arroz, café, açúcar e outras coisas amaldiçoadas pelo mercado mundial.

Desde 1919, foram assinados 183 convênios internacionais que regulam as relações de trabalho no mundo. Segundo a Organização Internacional do Trabalho, desses 183 acordos, a França ratificou 115, a Noruega 106, a Alemanha 76 e os Estados Unidos... quatorze. O país que lidera o processo de globalização só obedece suas próprias leis. E assim garante suficiente impunidade às suas grandes corporações, que se lançam à caça de mão de obra barata e à conquista de territórios que as indústrias sujas possam contaminar ao seu bel-prazer. Paradoxalmente, este país que não reconhece outra lei além da lei do trabalho fora da lei, é o mesmo que agora diz: não há outro remédio senão incluir "cláusulas sociais" e de "proteção ambiental" nos acordos de livre comércio. Que seria da realidade sem a publicidade que a mascara?

Essas cláusulas são meros impostos que o vício paga à virtude, debitados na rubrica Relações Públicas, mas a simples menção dos direitos trabalhistas deixa de cabelo em pé os mais fervorosos advogados do salário de fome, do horário de elástico e da livre despedida. Quando deixou a presidência do México, Ernesto Zedillo passou a integrar a diretoria da Union Pacific Corporation e do consórcio Procter & Gamble, que opera em 140 países. Além disso, encabeça uma comissão das Nações Unidas e divulga seus pensamentos na revista *Forbes*: em idioma tecnocratês, indigna-se contra "a imposição de estândares laborais homogêneos nos novos acordos comerciais". Traduzido, isso significa: lancemos de uma vez no latão do lixo toda a legislação internacional que ainda protege os trabalhadores. O presidente aposentado ganha para pregar a escravidão. Mas o principal diretor-executivo da General Eletric se expressa com mais clareza: "Para competir, é preciso espremer os limões". Os fatos são os fatos.

Diante das denúncias e dos protestos, as empresas lavam as mãos: não fui eu. Na indústria pós-moderna, o trabalho já não está concentrado. Assim é em toda parte e não só na atividade privada. As três quartas partes dos carros da Toyota são fabricadas fora da Toyota. De cada cinco operários da Volkswagen no Brasil, apenas um é empregado da Volkswagen. Dos 81 operários da Petrobrás mortos em acidentes de trabalho nos últimos três anos, 66 estavam a serviço de empresas terceiristas que não cumprem as normas de segurança. Através de trezentas empresas contratadas, a China produz a metade de todas as bonecas *Barbie* para as meninas do mundo. Na China há sindicatos, sim, mas obedecem a um estado que, em nome do socialismo, ocupa-se em disciplinar a mão de obra: "Nós combatemos a agitação operária e a instabilidade social para assegurar um clima favorável aos investidores", explicou recentemente Bo Xilai, secretário-geral do Partido Comunista num dos maiores portos do país.

O poder econômico está mais monopolizado do que nunca, mas os países e as pessoas competem no que podem: vamos ver quem oferece mais em troca de menos, vamos ver quem trabalha o dobro em troca da metade. À beira do caminho vão ficando os restos das conquistas arrancadas por dois séculos de lutas operárias no mundo.

Os estabelecimentos moageiros do México, América Central e Caribe, que por algo se chamam *sweat shops*, oficinas de suor, crescem num ritmo muito mais acelerado do que a indústria em seu conjunto. Oito de cada dez novos empregos na Argentina são precários, sem nenhuma proteção legal. Nove de cada dez empregos em toda a América Latina correspondem ao "setor informal", eufemismo para dizer que os trabalhadores estão ao deus-dará. Acaso a estabilidade e os demais direitos dos trabalhadores, dentro de algum tempo, serão temas para arqueólogos? Não mais do que lembranças de uma espécie extinta?

A liberdade do dinheiro exige trabalhadores presos no cárcere do medo, que é o cárcere mais cárcere de todos os cárceres. O deus do mercado ameaça e castiga; e bem o sabe qualquer trabalhador, em qualquer lugar. Hoje em dia o medo do desemprego, que os empregadores usam para reduzir seus custos de mão de obra e multiplicar a produtividade, é a mais universal fonte de angústia. Quem está a salvo de ser empurrado para as longas filas dos que procuram trabalho? Quem não teme ser transformado num "obstáculo interno", isso para usar as palavras do presidente da Coca-Cola, que há um ano e meio explicou a demissão de milhares de trabalhadores dizendo "eliminamos os obstáculos internos"?

E uma última pergunta: diante da globalização do dinheiro, que divide o mundo em domadores e domados, seremos capazes de internacionalizar a luta pela dignidade do trabalho? Haja desafio...

2001

HUMOR NEGRO

Piada 1

A gasolina com chumbo é uma invençãozinha norte-americana. Lá pelos anos vinte, impôs-se no Estados Unidos e no mundo. Quando o governo estadunidense a proibiu, em 1986, a gasolina com chumbo estava matando adultos num ritmo de cinco mil por ano, segundo a agência oficial que se ocupa da proteção ambiental. De resto, segundo as inúmeras fontes citadas pelo jornalista Jamie Kitman em sua investigação para a revista *The Nation*, o chumbo havia provocado danos no sistema nervoso e no nível mental de muitos milhões de crianças, ninguém sabe quantas, durante sessenta anos.

Charles Kettering e Alfred Sloan, diretores da General Motors, foram os principais promotores desse veneno. Eles passaram à história como benfeitores da medicina, porque fundaram um grande hospital.

Piada 2

Os gregos e os romanos já sabiam que o chumbo era inimigo do sangue, do solo, do ar e da água. Isso não tem nada de novo. No entanto, alguns países continuam agregando chumbo à gasolina. E nosso país, por exemplo, vai mais longe: castiga a boa conduta. No Uruguai, a gasolina sem chumbo é mais cara. Quem contamina menos, paga mais.

Piada 3

Uma empresa norte-americana, Ethyl, e uma empresa inglesa, Octel, vendem fora o que está proibido dentro. O aditivo de chumbo para gasolina é exportado para os países que podem ser intoxicados impunemente: quase toda a África e alguns países do sul do mundo. Para um negócio em agonia, não está tão mal. O balanço de 1999 revelou que a Ethyl teve um lucro bruto de 190 milhões de dólares.

O problema de Jack, o Estripador, é que estava mal-assessorado. O pobre Jack não tinha agentes de relações públicas que maquiassem sua imagem, nem expertos em publicidade que bendissessem seus atos. Em contrapartida, a empresa Ethyl, nascida do casamento da General Motors com a Standard Oil, diz em sua propaganda que "o respeito à pessoa" é o valor mais importante que orienta suas ações, e que faz o que faz desenvolvendo "uma cultura fundamentada na confiança mútua e no respeito mútuo". E a empresa Octel explica: "Octel continua desempenhando um papel primordial no processo universal de eliminação dos combustíveis com chumbo, através do fornecimento seguro e eficiente de chumbo para combustíveis, que continuará disponibilizando aos seus clientes enquanto eles o requeiram". Uma obra-prima: praticar o crime é a melhor maneira de colaborar na luta contra o crime.

Piada 4

Segundo o último informe do Banco Mundial, 15% da população do planeta devora a metade de toda a energia que o planeta consome. Os automóveis comem boa porção dessa metade. Nos países ricos, há 580 veículos para cada mil habitantes; nos países pobres, há dez.

Os países ricos proibiram a gasolina com chumbo, mas seus habitantes de quatro rodas cospem outros venenos. Da vertiginosa motorização das ruas provém boa parte dos gases que requentam o planeta, enlouquecem o clima e perfuram o ozônio. Os automóveis são cada vez mais numerosos e cada vez maiores. Talvez os 4 x 4, que todos os meninos do mundo sonham possuir, sejam assim chamados porque consomem quatro vezes mais combustíveis do que os carros pequenos.

Faça-se a nossa vontade, assim na terra como no céu: tirante os bebês, todos têm automóvel próprio no país que mais energia engole e mais veneno cospe. O país mais glutão e mais dissipador abriga nada mais do que 4% da população mundial, emite nada menos do que 24% do dióxido de carbono que agride a atmosfera e gasta uma dinheirama na publicidade que o absolve.

Uma organização modestamente chamada Força-Tarefa dos Líderes Globais do Meio Ambiente do Amanhã divulgou um mapa-múndi ecológico, publicado com grande destaque pela revista *Newsweek* e por outros meios, junto com um texto explicativo. Os Líderes Globais demonstram que os países ricos são os melhores amigos da natureza, os mais *eco-friendly*, e que os principais culpados das calamidades ecológicas do planeta são Bangladesh e Uganda.

Piada 5

O dióxido de carbono afeta a memória? Seria bom saber. Em sua campanha presidencial, George W. Bush prometeu limitar as emissões de gases tóxicos. Mal abriu a porta da Casa Branca, esqueceu sua promessa. Disse não ao acordo internacional de Kyoto e assim, uma vez mais, confirmou que os únicos discursos que merecem crédito são os discursos não pronunciados.

Piada 6

As empresas petrolíferas foram as que com mais dinheiro contribuíram para a campanha de Bush, a mais cara da história. O presidente havia fundado a empresa petrolífera Arbusto Oil, que logo passou a chamar-se Bush Exploration e finalmente foi vendida para a Harken Oil & Gas. O vice, Dick Cheney, acumulou sua fortuna pessoal na empresa petrolífera Halliburton. Na chefia da Segurança Nacional está Condoleeza Rice, que integrou a diretoria da empresa petrolífera Chevron entre 1991 e 2000. Don Evans, Secretário de Comércio, foi presidente da empresa petrolífera Tom Brown Inc. e diretor da empresa petrolífera TMBR/Sharp Drilling. Kathleen Cooper, que se ocupa do comércio na Secretaria de Assuntos Econômicos, foi executiva da empresa petrolífera Exxon. Thomas White, da Secretaria da Defesa, foi vice-presidente da empresa petrolífera Enron Corporation.

Piada 7

Poderia chamar-se Associação para o Extermínio do Planeta e seus Arredores. Mas não: chama-se Centro Mundial para o Meio Ambiente.

Entre seus membros figuram British Petroleum, Occidental Petroleum, Exxon, Texaco, International Paper, Weyerhaeuser, Novartis, Monsanto, BASF, Dow Chemical e Royal Dutch Shell. Todos estes amigos da natureza e da espécie humana, que periodicamente se condecoram entre si, anunciaram que a empresa Shell receberá a Medalha de Ouro do Meio Ambiente, correspondente ao ano 2001. Entre os muitos méritos da empresa, cabe mencionar seus esforços para arrasar o delta do Níger e para conseguir que a ditadura da Nigéria mandasse à forca, em 1995, o escritor Ken Saro-Wiwa e outras pessoas impertinentes que andavam protestando.

2001

A ERA DE FRANKENSTEIN

Em seu romance *Admirável mundo novo*, Aldous Huxley profetizou a fabricação em série de seres humanos. Em tubos de laboratório, os embriões se desenvolveriam conforme suas futuras funções na escala social, desde os alfas, destinados ao mando, até os épsilos, produzidos para a servidão.

Setenta anos depois, a biogenética nos promete, como brinde do nascente milênio, uma nova raça humana. Mudando o código genético das gerações vindouras, a ciência produzirá seres inteligentes, belos, sãos e talvez imortais, de acordo com o preço que cada família possa pagar.

James Watson, prêmio Nobel, descobridor da estrutura do DNA e chefe do Projeto Genoma Humano, prega o despotismo científico. Watson não aceita nenhum limite à manipulação das células humanas reprodutivas: nenhum limite à investigação nem ao negócio. Sem papas na língua, proclama: "Devemos nos manter à margem das normas e das leis".

Gregory Pence, que leciona Ética Médica na Universidade de Alabama, reivindica o direito dos pais de escolher o filho que terão "do mesmo modo que os canicultores fazem cruzamentos para obter o cão mais adequado a uma família".

E o economista Lester Thurow, do Massachusetts Institute of Technology, exitoso teórico do êxito, pergunta-se quem poderia negar-se a programar um filho com maior coeficiente intelectual. "Se você não o fizer", adverte, "seus vizinhos o farão, e seu filho será o mais estúpido do bairro".

Se a sorte nos acompanhar, os viveiros do futuro haverão de gerar superbebês parecidos com estes gênios. O aperfeiçoamento da espécie já não requererá os fornos de gás onde a Alemanha purificou a raça, nem a cirurgia que os Estados Unidos, a Suécia e outros países aplicaram para evitar a reprodução de produtos humanos de má qualidade. O mundo fabricará pessoas geneticamente modificadas, como fabrica, atualmente, alimentos geneticamente modificados.

2001, uma odisseia no espaço: já estamos em 2001 e já comemos comida química, como havia anunciado, há mais de trinta anos, a película de Stanley Kubrick. Agora, os gigantes da indústria química nos dão de comer. Questão de siglas: depois do DDT e do PCB, que por fim foram proibidos, embora já se soubesse, há muitos anos, que davam mais mortalidade do que felicidade, chegou a vez dos GM, os alimentos geneticamente modificados. Desde os Estados Unidos, Argentina e Canadá, os GM invadem o mundo inteiro, e todos somos cobaias dessas experiências gastronômicas dos grandes laboratórios.

Na verdade, nem sequer sabemos o que comemos. Com escassas exceções, os invólucros não nos informam se o produto contém ingredientes que sofreram manipulação de um ou vários genes. A empresa Monsanto, a principal provedora, não faz constar este dado em suas etiquetas de origem, nem sequer no caso do leite proveniente de vacas tratadas com hormônios transgênicos de crescimento. Esses hormônios artificiais favorecem o câncer de próstata e de seio, segundo várias investigações publicadas em *The Lancet, Science, The International Journal of Health Services* e outras revistas científicas, mas a Food and Drug Administration dos Estados Unidos autorizou a venda do leite sem menção nas etiquetas, porque ao fim e ao cabo os hormônios apressam o crescimento e aumentam o rendimento, e portanto também aumentam a rentabilidade. O primeiro é o primeiro, e o primeiro é a saúde da economia. De qualquer modo, quando a Monsanto vê-se obrigada a confessar o que vende, como no caso dos herbicidas, a coisa não muda muito. Há um par de anos, a empresa teve de pagar uma multa por "75 menções inexatas" nos recipientes do venenoso herbicida Roundup. Fizeram-lhe um precinho camarada. Pagou três mil dólares por cada mentira.

Alguns países se defendem, ou ao menos tentam defender-se. Na Europa, a importação de produtos da engenharia genética está proibida em alguns casos, e em outros submetida a controle. Desde 1998, por exemplo, a União Europcia exige etiquetas claras para a soja geneticamente modificada, mas torna-se muito difícil levar à prática esta boa intenção. O rastro se perde nas múltiplas combinações: segundo o Greenpeace, a soja GM está presente em 60% de toda a comida processada que é oferecida nos supermercados do mundo.

Nas manifestações ecológicas, um grande peixe levanta um cartaz: *Não se metam com meus genes*. Ao lado, um tomate gigante exige o mesmo. Em todo o mundo, multiplicam-se as vozes de protesto. A atitude europeia é um resultado da pressão da opinião pública. Quando os granjeiros franceses incendiaram os silos cheios de milho transgênico, por causa dos danos notórios que fazia ao ecossistema, o agitador camponês José Bové se converteu em herói nacional, um novo Asterix que alegou, em sua defesa:

– Nós, os granjeiros e os consumidores, quando fomos consultados sobre isso? Nunca.

O governo francês, que o prendera, desautorizou os cultivos do milho inventado pela biotecnologia. Algum tempo depois, a empresa norte-americana Kraft Foods devolveu milhões de tortas de milho transgênico, incomodada com as queixas dos consumidores que tinham sofrido reações alérgicas. Enquanto isso, a chanceler Madeleine

Albright dizia e repetia na Europa, porque isso é obrigação prioritária da diplomacia norte-americana: "Não há nenhuma prova de que os alimentos geneticamente modificados sejam prejudiciais à saúde ou ao ambiente".

Os europeus têm concretos motivos para desconfiar das piruetas tecnocráticas na mesa da copa. Estão ressabiados por sua recente experiência com as vacas loucas. Enquanto comiam pasto e alfafa, durante milhares de anos, as vacas se comportaram com uma cordura exemplar e aceitaram, resignadas, seu destino. Assim foi, até que o louco sistema que nos rege decidiu obrigá-las ao canibalismo. As vacas comeram vacas, engordaram mais, deram à humanidade mais carne e mais leite, foram felicitadas por seus donos e aplaudidas pelo mercado – e acabaram loucas. O assunto deu origem a muitas piadas, até que começou a morrer gente. Um morto, dez, vinte, cem...

Em 1996, o ministério britânico da Agricultura havia informado à população que a ração de sangue, sebo e gelatina de origem animal era um alimento seguro para o gado e inofensivo para a saúde humana.

2001

OS ATLETAS QUÍMICOS

Há um par de anos caíram mortos, no meio da corrida, dois dos cavalos que competiam no Palio. Um deles era Pena Branca, o campeão dessa festa que, desde a Idade Média, é celebrada na grande praça da cidade de Siena. Segundo foi publicado na imprensa, os cavalos morreram de *overdose* de anfetaminas.

Entrementes, em outros lugares da Itália foram presos vinte proprietários de ferozes pitbulls que eram as estrelas de lutas clandestinas de cães. Os cães lutadores estavam dopados. Os esteroides anabolizantes lhes haviam multiplicado a musculatura e a energia.

Ao mesmo tempo, o promotor público Rafaele Guarinello fazia sentar no banco dos réus os clubes de futebol da primeira, segunda e terceira divisões: com supostos fins medicinais, os clubes tinham ministrado numa centena de jogadores fármacos que, na verdade, aumentavam-lhes artificialmente a resistência e a potência e mascaravam-lhes a fadiga dos torneios extenuantes. Comprovou-se que os controles *antidoping* eram malfeitos ou milagrosamente desapareciam. Um ano antes, em meados de 98, o diretor-técnico do clube Roma, Zdenek Zeman, havia denunciado que as drogas eram de uso corrente no futebol italiano.

Enquanto se publicavam tais notícias, no país vizinho se disputava o Tour de France, e os ciclistas avançavam se esquivando de seringas. Michel Drucker, jornalista esportivo, comentou: "Estamos em plena hipocrisia. Qualquer um sabe que é impossível suportar, com um tubinho de vitamina C, uma corrida atrás da outra: o Clássico belga, a Paris-Roubaix, a Milão-San Remo, o Tour de France e a Volta da Itália. E o mesmo vale para todos os esportes. Sobre os ombros dos atletas profissionais pesa a dinheirama dos patrocinadores".

João Havelange, monarca aposentado da FIFA, advertiu: "Todos os ciclistas se dopam. No futebol, isso é raro. Deixem o futebol em paz". Não têm a mesma opinião os astros da seleção francesa campeã do mundo. Emmanuel Petit declarou: "Joga-se uma partida a cada três dias. Nenhum atleta pode suportar tanto esforço. Eu não quero que as drogas sejam corriqueiras no futebol, mas caminhamos para isso". E Frank Leboeuf coincidiu: "Agora os jogadores se esgotam cedo. Preocupam-me os jovens. Nesse passo, não vão durar mais do que cinco ou seis anos". Alguns anos antes, o célebre arqueiro alemão Toni Schumacher tinha sido acusado de traidor da pátria ao revelar que os jogadores da seleção de seu país eram farmácias ambulantes, e que não se sabia se representavam a Alemanha ou a indústria farmacêutica germânica. E no outro lado do oceano, Luis Artime, um dos melhores jogadores de todos os tempos, havia constatado: "A droga é um negócio em todos os esportes, e no futebol também. O futebol argentino não me dá asco: me dá pena".

Penso, por pensar, no joelho de Ronaldo, o joelho de cristal do melhor jogador do mundo. Recuperará Ronaldo seu joelho perdido? Voltará Ronaldo a ser Ronaldo? Imagens: o ídolo cai, agarra o joelho direito, as câmaras focalizam seu rosto contorcido de dor. Imagens: seis anos antes, chega à Europa um garotinho de dentes de coelho e magia nas pernas, oriundo de um subúrbio pobre do Rio de Janeiro. Chega magro como um arame. Imagens: dois anos depois, já transformado em negócio milionário, Ronaldo parece Tarzan. O dobro de músculos para os mesmos tendões; o dobro de carroceria para o mesmo motor. E me pergunto: essa assombrosa metamorfose é explicada tão só pela carne que comeu e o leite que bebeu?

As drogas zombam dos controles. Bem poucos atletas foram flagrados nos exames *antidoping* no ano passado, durante as Olimpíadas de Sydney. Jacques Rogge, um dos dirigentes do Comitê Olímpico Internacional, explicou assim: "Foram flagrados por estúpidos, porque se doparam por conta própria, ou porque vêm de países pobres. Os países ricos têm um sistema sofisticado de *doping*, que custa muito dinheiro, com drogas caras, supervisão especializada e exames secretos. Os pobres não podem pagá-lo. É apenas isso". O Comitê Olímpico Internacional consagrou Carl Lewis como o atleta do século. Em Sydney, durante a cerimônia, o rei da velocidade e do salto em distância expressou sua opinião, um pouquinho diferente: "Os dirigentes mentem", disse Lewis. "Os controles *antidoping* não funcionam. Eles podem controlar, mas não querem. O esporte está sujo".

Seja como for, por habilidade científica ou vista grossa, ou por obra e graça dos dois, o fato é que é perfeitamente possível mascarar a eritropoietina sintética, os hormônios artificiais de crescimento, os esteroides anabolizantes e outras drogas. Aplicadas massivamente nos esportistas, podem produzir medalhas de ouro, troféus internacionais, infartos, apoplexias, alterações do metabolismo, transtornos glandulares, impotência, deformações musculares e ósseas, câncer e velhice prematura.

Segundo as investigações publicadas pelas revistas *Scientific American* e *New Scientist*, isso tudo é apenas brincadeira de criança comparado com o que virá. Em dez anos, anuncia-se, teremos atletas geneticamente modificados. Ao preço da hipoteca do corpo, porque nada é grátis neste mundo, o *doping* de genes artificiais fará maravilhas de velocidade e força com uma só injeção e será impossível detectá-la no sangue ou na urina.

●●●

Por esses dias, meu amigo Jorge Marchini, recém-chegado da Finlândia, trouxe-me de presente o regulamento do futebol infantil e juvenil daquele país. Assim fico sabendo que, na Finlândia, o árbitro mostra não apenas o cartão amarelo, que adverte, e o cartão vermelho, que castiga, mas também o cartão verde, que premia o jogador que ajuda o adversário caído, o que pede desculpas quando bate e o que reconhece uma falta cometida.

No futebol profissional, tal como hoje em dia se pratica em todo o mundo, o cartão verde pareceria ridículo ou resultaria inútil. Por lei do mercado, a maior rentabilidade exige maior produtividade, e para alcançá-la vale tudo: a deslealdade, as trapaças e as drogas, que fazem parte do jogo sujo de um sujo sistema de jogo.

No futebol, como nas demais competições, o esporte profissional está mais dopado do que os esportistas. O grande intoxicado é o esporte transformado em grande empresa da indústria do espetáculo, que acelera mais e mais o ritmo de trabalho dos atletas e os obriga a esquecer qualquer escrúpulo para conseguir rendimentos de super-homens. A obrigação de ganhar é inimiga do prazer de jogar, do sentido da honra e da saúde humana; e é a obrigação de ganhar que está impondo o consumo das drogas do êxito.

Há meio século, o Uruguai venceu o Brasil no Estádio Maracanã e, contra todos os prognósticos, contra toda evidência, sagrou-se campeão mundial de futebol. O principal protagonista dessa façanha impossível se chamava Obdulio Varela. Ele se dopava com vinho. Chamavam-no *Vinacho*. Eram outros tempos.

2001

MÃOS AO ALTO

1.

Há pouco, minha casa foi assaltada. Os ladrões deixaram uma serra (lê-se no cabo: *Facilitando seu trabalho*) e um rastro de coisas que tiveram de abandonar na fuga. Entre as coisas que puderam levar, estava um computador que eu acabara de comprar e seria o primeiro de minha vida. Meu progresso tecnológico foi interrompido pela delinquência.

Bem sei que o episódio carece de importância e que, de resto, faz parte da rotina da vida no mundo de hoje, mas o fato é que não tive outro remédio senão instalar grades sobre grades e agora minha casa, como todas, parece uma jaula. Como em todos, uma nova dose de veneno me foi inoculada: o veneno do medo, o veneno da desconfiança.

2.

É uma antiga lenda chinesa. Na hora de ir para o trabalho, um lenhador dá falta do machado. Observa seu vizinho: tem o aspecto típico de um ladrão de machados, o olhar e os gestos e o modo de falar de um ladrão de machados. Mas o lenhador encontra sua ferramenta, que estava caída por ali. E quando torna a observar seu vizinho, constata que não se parece nem um pouco com um ladrão de machados, nem no olhar, nem nos gestos, nem no modo de falar.

3.

O filósofo britânico Samuel Johnson dizia, em meados do século XVIII: "A segurança, dê no que dê, dá o melhor". Dois séculos depois, dizia o filósofo italiano Benito Mussolini: "Na história da humanidade, a polícia sempre precedeu o professor". E agora grandes cartazes nos advertem, nos supermercados: "Sorria: para sua segurança, você está sendo filmado".

4.

Sabem muito bem os políticos e os demagogos de uniforme: a insegurança é o pânico de nosso tempo. As estatísticas confirmam que o mundo está transpirando violência por todos os poros.

A Colômbia é o país mais violento do mundo. Os assassinatos do ano todo da Noruega equivalem a um fim de semana em Cali ou Medellin. Supõe-se que a violência colombiana seja obra do narcotráfico e da guerra entre militares, paramilitares e guerrilheiros. Mas a organização Justiça e Paz atribui a maioria dos crimes, sete em cada dez, à "violência estrutural da sociedade colombiana". A Colômbia é um dos países mais injustos do mundo: 80% de pobres, 7% de ricos; de cada cem adultos, 22 estão desempregados e 55 trabalham ao deus-dará, naquilo que os peritos chamam *mercado informal*.

5.

No Brasil, rouba-se um carro a cada um minuto e meio. Durante as horas mais perigosas, que são as horas da noite, os condutores de veículos do Rio de Janeiro estão autorizados a desrespeitar o sinal vermelho. E não só se roubam carros. Grande êxito está obtendo um escultor de alegorias carnavalescas que está fabricando guardas virtuais para as empresas de segurança: são manequins de uniforme policial, feitos de fibra de vidro, com microcâmaras no lugar dos olhos. Outros guardas, de carne e osso, disparam e matam e perguntam depois. Muitas de suas vítimas são meninos de rua.

O Brasil, como a Colômbia, é um país violento e um país injusto: o mais injusto do mundo, o que mais injustamente distribui os pães e os peixes. Vinte e um milhões de crianças vivem, sobrevivem, na miséria.

Hélio Luz, que até há pouco foi Chefe de Polícia no Rio, lembrou recentemente, numa entrevista, que a polícia brasileira não nasceu para proteger os cidadãos: foi criada, em 1808, para controlar os escravos.

Os escravos eram negros; e negros são, hoje em dia, a maioria de suas vítimas.

6.

A Nova York acorrem os policiais e políticos latino-americanos, em peregrinação. Ali aprendem a fórmula mágica contra a delinquência. A *tolerância zero* se aplica para baixo, como a *repressão zero* se aplica para cima. Esta criminalização da pobreza castiga o delinquente antes que ele viole a lei. Até os grafitos merecem castigo, porque indicam "uma conduta protocriminosa".

A delinquência diminuiu em Nova York e em todo o território estadunidense. Mas não como resultado da política de intolerância: no reino do prefeito Giuliani, a mão de ferro só serviu para multiplicar os horrores policiais contra os negros. Como bem disse o juiz argentino Luis Niño, nos Estados Unidos a taxa da criminalidade caiu na mesma medida em que caiu a taxa do desemprego: há menos delito porque há pleno emprego.

O milagre do pleno emprego, ou, em todo caso, algo que a isso se assemelha, só foi possível naquele país porque trabalha para ele o mundo inteiro. Mas a insegurança é um bom negócio e os presídios privados necessitam de presidiários assim como os pulmões necessitam de ar. Mais vale prevenir do que remediar: quanto menos delitos são cometidos, mais presidiários há. Nos últimos quinze anos, por exemplo, multiplicou-se o número de menores de idade confinados em prisões de adultos, "para que os meninos se transformem em adultos produtivos", como explica James Gondles, porta-voz das empresas privadas especializadas em engaiolar gente no país que tem a maior quantidade de presos do mundo.

1999

A REPÚBLICA DAS CONTRADIÇÕES

Os uruguaios temos certa tendência a crer que nosso país existe, embora o mundo não o perceba. Os grandes meios de comunicação, aqueles que têm influência universal, jamais mencionam esta nação pequenina e perdida ao sul do mapa.

Por exceção, meses atrás a imprensa britânica ocupou-se de nós, na véspera da visita do príncipe Charles. O conceituado jornal *The Times* informou aos seus leitores que a lei uruguaia autoriza o marido traído a cortar o nariz da esposa infiel e a castrar o amante. *The Times* atribuiu à nossa vida conjugal aqueles maus costumes das tropas coloniais britânicas. Agradecemos a amabilidade, mas a verdade é que tão baixo não caímos. Este país bárbaro, que aboliu os castigos corporais nas escolas 120 anos antes da Grã-Bretanha, não é o que parece ser quando visto de cima e de longe. Se os jornalistas descessem do avião, poderiam ter algumas surpresas.

Os uruguaios somos poucos, nada mais do que três milhões. Cabemos, todos, num só bairro de qualquer das grandes cidades do mundo. Três milhões de anarquistas conservadores: não nos agrada que ninguém nos mande e nos custa mudar.

O Uruguai mantém-se estacionado em sua própria decadência desde o distante tempo em que constatamos estar na vanguarda de tudo. Os protagonistas se tornaram espectadores. Três milhões de ideólogos políticos, e a política prática nas mãos dos politiqueiros que transformaram os direitos civis em favores do poder; três milhões de técnicos de futebol, e o futebol uruguaio a viver da nostalgia; três milhões de críticos de cinema, e o cinema nacional nunca passou de uma esperança.

O país que é vive em perpétua contradição com o país que foi. O Uruguai adotou a jornada de trabalho de oito horas um ano antes dos Estados Unidos e quatro anos antes da França; mas hoje em dia encontrar trabalho é um milagre, e maior milagre é encher a panela trabalhando apenas oito horas: só Jesus o conseguiria, se fosse uruguaio e ainda fosse capaz de multiplicar os pães e os peixes.

O Uruguai teve lei do divórcio setenta anos antes da Espanha e voto feminino quatorze anos antes da França; mas a realidade segue tratando as mulheres pior do que os tangos, o que bem diz aonde chegamos, e as mulheres brilham por sua ausência no poder político, escassas ilhas femininas num mar de machos.

Este sistema, cansado e estéril, não trai apenas sua memória: sobrevive em contradição perpétua com a realidade. O país depende das vendas de carnes, couros, lãs e arroz para o exterior, mas o campo está nas mãos de poucos. Esses poucos, que pregam as virtudes da família cristã, mas mandam embora os peões que se casam, monopolizaram tudo. E enquanto isso, quem quer terra para trabalhar recebe um portaço no nariz; e quem alguma terrinha consegue, depende de créditos que os bancos destinam sempre ao que tem, nunca ao que precisa. Fartos de receber um peso por cada produto que vale dez, os pequenos produtores rurais terminam buscando melhor sorte em Montevidéu. À capital do país, centro do poder burocrático e de todos os poderes, acorrem os desesperados, esperando o trabalho que é negado pelas fábricas cobertas de teias de aranha. Muitos terminam recolhendo lixo; e muitos seguem viagem pelo porto ou aeroporto.

Em matéria de contradições entre o poder e a realidade, ganhamos os campeonatos mundiais que o futebol nos nega. No mapa, rodeado por seus grandes vizinhos, o Uruguai parece anão. Nem tanto. Temos cinco vezes mais terra do que a Holanda, e cinco vezes menos habitantes. Temos mais terra cultivável do que o Japão, e uma população quarenta vezes menor. No entanto, são muitos os uruguaios que emigram, porque aqui não encontram seu lugar debaixo do sol. Uma população escassa e envelhecida: poucas crianças nascem, nas ruas veem-se mais cadeiras de rodas do que carrinhos de nenê. Quando essas poucas crianças crescem, o país as expulsa. Exportamos jovens. Há uruguaios no Alasca e no Havaí. Há vinte anos, a ditadura militar empurrou muita gente para o exílio. Em plena democracia, a economia condena ao desterro muita gente mais. A economia é manejada pelos banqueiros, que praticam o socialismo socializando suas fraudulentas bancarrotas e praticam o capitalismo oferecendo um país de serviços. Para entrar pela porta de serviço no mercado mundial, somos reduzidos a um santuário financeiro com segredo bancário, quatro vacas na retaguarda e vista para o mar. Nessa economia, as pessoas ficam de fora, ainda que sejam tão poucas.

Modéstia à parte – é preciso dizer tudo –, também por bons motivos merecíamos figurar no *Guinness*. Durante a ditadura militar, não houve no Uruguai nem um só intelectual importante, nem um só cientista relevante, nem um só artista representativo, único que fosse, disposto a aplaudir os mandões. E nos tempos que correm, já na democracia, o Uruguai foi o único país do mundo que derrotou as privatizações em consulta popular: no plebiscito de fins de 92, 72% dos uruguaios decidiu que os serviços essenciais continuariam sendo públicos. A notícia não mereceu sequer uma linha na imprensa mundial, embora se constituísse numa insólita prova de senso comum. A experiência de outros países latino-americanos nos ensina que as privatizações podem engordar as contas privadas de alguns políticos, mas duplicam a dívida externa, como aconteceu à Argentina, ao

Brasil, Chile e México nos últimos anos; e as privatizações humilham a soberania a preço de banana.

O habitual silêncio dos grandes meios de comunicação evitou qualquer possibilidade de que o plebiscito se disseminasse, por contágio, fronteira afora. Mas fronteira adentro, aquele ato coletivo de afirmação nacional à contracorrente, aquele sacrilégio contra a ditadura universal do dinheiro, anunciou que estava viva a energia de dignidade que o terror militar quisera aniquilar, neste paradoxal país onde nasci e tornaria a nascer.

1999

OS INVISÍVEIS

Aquilo começou com uma explosão de violência. Poucos dias antes do Natal, numerosos famintos tomaram de assalto os supermercados. Entre os desesperados, como costuma ocorrer, infiltraram-se uns quantos delinquentes. E nessas horas de caos, enquanto corria o sangue, o presidente da Argentina falou pela televisão. Palavra mais ou palavra menos, disse: a realidade não existe, as pessoas não existem.

E então nasceu a música. Começou devagarinho, soando nas cozinhas de algumas casas, colheres que batiam nas panelas, e saiu pelas janelas, pelas sacadas. E foi-se multiplicando de casa em casa e ganhou as ruas de Buenos Aires. Cada som se uniu a outros sons, pessoas se uniram com pessoas, e na noite explodiu o concerto da revolta coletiva. Ao som das panelas e sem outras armas senão estas, a multidão invadiu os bairros, a cidade, o país. A polícia respondeu a balaços. Mas as pessoas, inesperadamente poderosas, derrubaram o governo.

•••

Os invisíveis, fato raro, tinham ocupado o centro do palco.

Não só na Argentina, não só na América Latina, o sistema está cego. O que são as pessoas de carne e osso? Para os mais notórios economistas, números. Para os mais poderosos banqueiros, devedores. Para os mais eficientes tecnocratas, incômodos. E para os mais exitosos políticos, votos.

O movimento popular que defenestrou o presidente De la Rúa foi uma prova de energia democrática. A democracia somos nós, disseram os populares, e estamos fartos. Ou acaso a democracia consiste somente no direito de votar a cada quatro anos? Direito de eleição ou direito de traição? Na Argentina, como em tantos outros países, as pessoas votam, mas não elegem. Votam em um, governa outro: governa o clone.

•••

No governo, o clone faz ao contrário tudo o que o candidato prometeu durante a campanha eleitoral. Segundo a célebre definição de Oscar Wilde, cínico é aquele que conhece o preço de tudo e o valor de nada. O cinismo se disfarça de realismo; e assim se desprestigia a democracia.

As pesquisas indicam que a América Latina, hoje em dia, é a região do mundo que menos acredita no sistema democrático de governo. Uma dessas pesquisas, publicada pela revista *The Economist*, revelou a queda vertical da fé da opinião pública na democracia, em quase todos os países latino-americanos: segundo esses dados, recolhidos há meio ano, só acreditavam nela seis de cada dez argentinos, bolivianos, venezuelanos, peruanos e hondurenhos, menos da metade dos mexicanos, nicaraguenses e chilenos, não mais do que um terço de colombianos, guatemaltecos, panamenhos e paraguaios, menos de um terço de brasileiros e apenas um de cada quatro salvadorenhos.

Triste panorama, caldo gordo para os demagogos e os messias fardados: muita gente, sobretudo muita gente jovem, sente que o verdadeiro domicílio dos políticos é a cova de Ali Babá e os quarenta ladrões.

•••

Uma lembrança de infância do escritor argentino Héctor Tizón: na Avenida de Mayo, em Buenos Aires, seu pai mostrou-lhe um homem que, na calçada, atrás de uma mesinha, vendia pomadas e escovas para lustrar sapatos:

— *Aquele senhor se chama Elpidio González. Olha bem. Ele foi vice-presidente da república.*

Eram outros tempos. Sessenta anos depois, nas eleições legislativas de 2001, houve uma enxurrada de votos em branco ou anulados, algo jamais visto, um recorde mundial. Entre os votos anulados, o candidato triunfante era o pato Clemente, um famoso personagem de história em quadrinhos: como não tinha mãos, não podia roubar.

•••

Talvez a América Latina jamais tenha sofrido um esbulho político comparável ao da década passada. Com a cumplicidade e o amparo do Fundo Monetário Internacional e do Banco Mundial, sempre exigentes em matéria de austeridade e transparência, vários governantes roubaram até ferraduras de cavalos a galope. Nos anos das privatizações, leiloaram tudo, até as lajotas das calçadas e os leões do zoológico; e o produto do leilão se evaporou. Os países foram vendidos para pagamento da dívida externa, segundo mandavam os que de fato mandam, mas a dívida, misteriosamente, multiplicou-se, nas mãos ligeiras de Carlos Menem e muitos de seus colegas. E os cidadãos, os invisíveis, ficaram sem países, com uma imensa dívida para pagar, pratos quebrados da festa alheia.

Os governos pedem permissão, fazem seus deveres e prestam exames: não diante dos cidadãos que votam, mas diante dos banqueiros que vetam.

•••

Agora que estamos todos em plena guerra contra o terrorismo internacional, cabem certas dúvidas. O que devemos fazer com o terrorismo do mercado, que está castigando a imensa maioria da humanidade? Ou não são terroristas os métodos dos altos organismos internacionais, que em escala planetária dirigem as finanças, o comércio e o resto? Acaso não praticam a extorsão e o crime, ainda que matem por asfixia e de fome e não por bomba? Não estão despedaçando os direitos dos trabalhadores? Não estão assassinando a soberania nacional, a indústria nacional, a cultura nacional?

A Argentina era a aluna mais aplicada do Fundo Monetário, do Banco Mundial e da Organização Mundial do Comércio. E foi o que se viu.

•••

Damas e cavalheiros: primeiro os banqueiros. E onde manda capitão, não manda marinheiro. Palavras mais ou palavras menos, esta foi a primeira mensagem que o presidente George W. Bush enviou à Argentina. Da cidade de Washington, capital dos Estados Unidos e do mundo, Bush declarou que o novo governo argentino deve "proteger" seus credores e o Fundo Monetário Internacional, e levar adiante uma política de "maior austeridade".

Enquanto isso, o novo presidente provisório argentino, que substitui De la Rúa até as próximas eleições, meteu os pés pelas mãos em sua primeira declaração à imprensa. Um jornalista perguntou o que iria priorizar, a dívida ou as pessoas, e ele respondeu: "A dívida". Dom Sigmund Freud sorriu em seu túmulo, mas Adolfo Rodríguez Saá logo corrigiu a resposta. Pouco depois, anunciou que suspenderia os pagamentos da dívida e destinaria esse dinheiro à criação de fontes de trabalho para as legiões de desempregados.

A dívida ou as pessoas, esta é a questão. E agora as pessoas, os invisíveis, exigem e vigiam.

•••

Há coisa de um século, Dom José Batlle y Ordóñez, presidente do Uruguai, assistia a uma partida de futebol. E comentou:

– Que bonito seria se houvesse 22 espectadores e dez mil jogadores.

Talvez se referisse à educação física, que ele promoveu. Ou estava falando, quem sabe, da democracia que imaginava.

Um século depois, na Argentina, o país vizinho, muitos manifestantes envergavam a camiseta de sua seleção nacional de futebol, seu sentido símbolo de identidade, sua alegre certeza de pátria: vestindo a camiseta, invadiram as ruas. As pessoas, fartas de serem espectadoras de sua própria humilhação, invadiram a cancha. Não vai ser fácil desalojá-las.

2001

AJUDE-ME, DOUTOR, QUE NÃO POSSO DORMIR

Seis moscas me zumbem na cabeça e não me deixam dormir. Na verdade, o mosqueiro de minhas insônias é muito mais numeroso, mas digo seis para simplificar o caso. A seguir, descrevo algumas das angústias que à noite me atormentam. Como se verá, não são pouca coisa. Elas se referem, nada mais, nada menos, ao destino do mundo.

Ficará o mundo sem professores?

Segundo informou o jornal *The Times of India*, uma Escola do Crime está funcionando, com sucesso, na cidade de Muzaffarnagar, a oeste do estado hindu de Uttar Pradesh.

Ali se oferece aos adolescentes uma formação de alto nível para ganhar dinheiro fácil. Um dos três diretores, o educador Susheel Mooch, tem a seu cargo o curso mais sofisticado, que inclui, entre outras matérias, Sequestros, Extorsões e Execuções. Os outros dois se ocupam de matérias mais convencionais. Todos os cursos incluem trabalhos práticos. Por exemplo, o ensino do roubo em autopistas e estradas: ocultos, os estudantes arremessam um objeto metálico no automóvel escolhido; o ruído faz com que o condutor se detenha, intrigado, e então se procede ao assalto, que o mestre supervisiona.

Segundo os diretores, esta escola surgiu para dar resposta a uma necessidade do mercado e para cumprir uma função social. O mercado exige níveis cada vez mais altos de especialização na área do delito, *e a educação criminosa é a única que garante aos jovens um trabalho bem remunerado e permanente.*

Temo que tenham razão. E me dá pânico pensar que o exemplo vá frutificar na Índia e no mundo. O que será dos pobres professores das escolas tradicionais – pergunto-me –, já castigados pelos salários de fome e pela pouca ou nenhuma atenção que lhes prestam seus alunos? Quantos professores poderão reciclar-se, adaptando-se às exigências da modernidade? Dos que eu conheço, nenhum. Consta-me que são incapazes de matar uma mosca e não têm talento nem para assaltar uma velhinha desamparada e paralítica. O que esses inúteis vão ensinar no mundo de amanhã?

Ficará o mundo sem presidentes?

Dizem que dizem que alguém disse que um presidente de um país latino-americano viajou a Washington para negociar a dívida externa. Ao regressar, anunciou ao seu povo uma notícia boa e outra ruim:

– *A boa é que já não devemos nem um único centavo. A ruim é que todos os habitantes deste país temos 24 horas para ir embora.*

Os países pertencem aos seus credores. Os devedores devem obediência; e a boa conduta se demonstra praticando o socialismo, mas o socialismo ao avesso: privatizando os lucros e socializando as perdas.

– *Nós fazemos bem nossos deveres* – disseram, com poucos meses de diferença, Carlos Menem, enquanto era presidente da Argentina, e seu colega mexicano Ernesto Zedillo.

Daqui a pouco, no passo que vamos, também será privatizado o ar, e virão os entendidos dizer que quem recebe o ar de graça não sabe valorizá-lo e não merece respirar.

E esta é outra fonte de angústia: tira-me o sono o pressentimento de que qualquer dia desses os banqueiros credores vão expulsar os presidentes e sentar-se em suas cadeiras: *Chega de intermediários!*

E noite atrás de noite me revolvo entre os lençóis, perguntando-me onde vai parar essa gente toda. Onde conseguirá emprego esta mão de obra tão altamente especializada? Aceitarão os presidentes qualquer bico? No McDonald's, a fila é longa.

Ficará o mundo sem assunto?

O espetacular desenvolvimento da tecnologia tornou possível que todos os globais habitantes deste mundo tenhamos passado mais de um ano, todo o 98 e boa parte do 99, acompanhando o grande acontecimento do fim do século: as façanhas da linguista Mônica Lewinski no Salão Oval da Casa Branca.

A lewinskização globalizada nos permitiu a todos, nos quatro pontos cardeais do planeta, ler, olhar e ouvir até o mais ínfimo detalhe desta epopeia da humanidade. *Os grandes meios de comunicação de massa nos facultaram milhares de possibilidades de escolher entre aquilo e aquilo.*

Mas aquilo passou, como passaram Grécia e Roma, e desde então a grande imprensa, os gigantes da televisão e as rádios já não têm com o que se ocupar. Eu nutria a esperança de que explodisse outro *sexgate* e então alguém me contou que fontes bem-informadas lhe haviam confidenciado que a chanceler Madeleine Albright ia denunciar o presidente por assédio sexual incessante. Mas nunca mais ouvi falar no assunto e desconfio de que se tratava de uma piada vil, indigna de figurar no centro da atenção universal.

E isto também me tira o sono. Agora que os jornalistas se chamam *comunicadores sociais*, o que vão comunicar à sociedade? De que vão viver? Outra multidão de desempregados lançada às ruas?

Ficará o mundo sem inimigos?

Os Estados Unidos e seus aliados da OTAN já estão há bastante tempo sem fabricar uma guerra. A indústria da morte está ficando nervosa. Os imensos orçamentos militares precisam justificar sua existência e a indústria de armamentos não tem onde expor seus novos modelos.

Contra quem será lançada a próxima *missão humanitária*? Quem será o próximo inimigo? Quem fará o papel de vilão no próximo filme, quem será Satã no inferno que vem? Isto muito me preocupa. Estive relendo os motivos invocados para o bombardeio do Iraque e da Iugoslávia e cheguei à alarmante conclusão de que *há um país, um único país, que reúne todas as condições, todas, todinhas, para ser reduzido a escombros*.

Esse país é o principal fator de instabilidade da democracia em todo o planeta, pelo seu velho costume de fabricar golpes de estado e ditaduras militares. Esse país se constitui numa ameaça a seus vizinhos, aos quais, desde sempre, invade com frequência. Esse país produz, armazena e vende a maior quantidade de armas químicas e bacteriológicas. Nesse país, opera o maior mercado de drogas do mundo e em seus bancos são lavados milhões de narcodólares. A história nacional desse país é uma longa guerra de *limpeza étnica*, contra os aborígines primeiro, contra os negros depois; e esse país, em anos recentes, foi o principal responsável pela feroz matança étnica que aniquilou duzentos mil guatemaltecos, em sua maioria indígenas maias.

Haverão de se autobombardear os Estados Unidos? Invadirão a si mesmos? Cometerão os Estados Unidos esse ato de coerência, fazendo consigo o que fazem com os demais? As lágrimas molham meu travesseiro. Queira Deus poupar de semelhante desgraça essa grande nação que jamais foi bombardeada por ninguém.

Ficará o mundo sem bancos?

Em sua edição de 14 de dezembro de 1998, a revista *Time* publicou o informe do Congresso dos Estados Unidos sobre a evaporação de cem milhões de dólares provenientes do tráfico de drogas no México. Segundo a comissão parlamentar que investigou o assunto, foi o Citibank que organizou a viagem dessa narcofortuna através de cinco países e inventou sociedades fantasmas e nomes de fantasia para apagar a pista.

As prisões norte-americanas, as mais povoadas do planeta, estão cheias de jovens drogados, pobres e negros; *mas o Citibank, alta estrela do céu financeiro*, não foi preso. Na verdade, semelhante ideia não passou pela cabeça de ninguém. No entanto, a leitura do informe me deixou ruminando. É certo que este grande banco continua livre e prosperando; e que o sabão Citibank, o detergente Banque Suisse, o tira-manchas Bahamas e tantas outras marcas prestigiadas pelas melhores lavanderias continuam, livremente, batendo recordes de venda de artigos de limpeza no mercado global. Mas não posso deixar de pensar que a ameaça espreita.

Que aconteceria se um belo dia a guerra contra as drogas deixasse de ser uma guerra contra os drogados, que castiga as vítimas, e as armas, corrigindo a pontaria, apontassem para cima? Agora que a economia está morta e só vivem as finanças, que seria do mundo sem bancos? E o que seria do pobre dinheiro, condenado a deambular pelas ruas, como deambulam as pessoas sem teto? Só de pensar sinto um aperto no coração.

Ficará o mundo sem mundo?

Em algum dia de outubro de 98, em plena Era Lewinskiana, descobri uma notícia insignificante, perdida ao pé de alguma página de algum jornal: a recuperação das plantas e dos animais extintos no mundo, nas últimas três décadas, levaria não menos do que cinco milhões de anos.

Desde então, uma outra obsessão me deixa insone. Não consigo me livrar do pressentimento de que um dia os animais e as plantas nos convocarão para o Juízo Final. Chego ao delírio de nos imaginar acusados por promotores que haverão de nos apontar com a pata ou o ramo:

– *O que vocês fizeram com o planeta? Em que supermercado o compraram? Quem lhes deu o direito de nos maltratar e nos exterminar?*

E vejo um insigne tribunal de bichos e vegetais prolatando a sentença de condenação eterna do gênero humano.

Pagaremos os justos pelos pecadores? Passarei minha eternidade no inferno, ao lado dos bem-sucedidos empresários exterminadores do planeta e seus políticos comprados e seus chefes guerreiros e seus espertos publicitários que vendem o veneno enrolado em papel celofane verde?

Um suor gelado poreja em meu corpo estremecido. Antes, eu acreditava que o Juízo Final era assunto de Deus. No pior dos casos, eu ia cumprir meu destino compartilhando a grelha perpétua com os assassinos em série, as cantoras de televisão e os críticos literários. Agora, comparando, isso até me parece pouco.

2000

ALGUMAS MODESTAS PROPOSIÇÕES

O soldado Timothy McVeigh pôs a bomba, matou 168 no estado de Oklahoma e agora está no inferno. O governador George W. Bush após sua assinatura, matou 152 no estado do Texas e agora é rei do planeta. Bush costuma dizer: "Faça ao meu modo ou não faça".

Aqui vão algumas sugestões, nascidas do construtivo propósito de colaborar com sua gestão. Provêm de mais um de seus seis bilhões de súditos, desde um país ignoto que não é membro do G-7, nem do G-8, mas do G-181.

Melhor que Kyoto

Cento e oitenta contra um: os acordos de Kyoto foram aprovados por unanimidade menos um. O professor Ronald Reagan estudou Ciências Políticas nos filmes de Far West. Agora seu aluno, como nos filmes, enfrenta sozinho todos os demais.

Bem sabe o justiceiro que toda essa história de Kyoto não passa de uma conspiração. Está em jogo o direito dos Estados Unidos de seguir desenvolvendo seu modo de vida, que se fundamenta no amor aos membros mais queridos da família: os que dormem na garagem. E eles não têm outro remédio senão suportar em silêncio as calúnias. Os ecoterroristas, agitadores a soldo do transporte público, andam propalando que os automóveis lançam veneno no ar e arruínam a atmosfera. E assim se abusa impunemente da paciência dos cidadãos de quatro rodas, que não podem nem piar. É um escândalo, mas é assim: os carros ainda não têm o direito do voto, embora sejam mais numerosos do que toda a população adulta norte-americana.

Os inimigos do progresso veem a realidade com óculos escuros e anunciam catástrofes: céu intoxicado, clima enlouquecido, planeta requentado... Neste passo, dizem, ninguém se salvará. Nem nós, os uruguaios: se continuarem a se derreter os gelos do polo, ficaremos sem água potável e sem praias. Mas o nosso é um país livre. Se ficarmos sem água para beber, teremos a liberdade de escolher entre a Coca-Cola, a Pepsi e outros refrescos. E se ficarmos sem praias, que são as culpadas da ociosidade nacional, nossa maltratada economia poderá elevar espetacularmente seus índices de produtividade. Ora, não é assim que vão nos assustar.

Até quando o mundo continuará aturando essas apocalípticas profecias? Não terá chegado a hora de proibir de uma vez por todas, em todos os idiomas e em todos os países, a circulação de informes científicos que andam alarmando a opinião pública?

Como vender guarda-chuvas

Outro tema espinhoso: o guarda-chuva antimísseis. O presidente Bush não está conseguindo que se leve a sério a ameaça do terrorismo internacional. Ninguém compreende a necessidade de instalar no espaço um escudo que nos defenda de uma agressão iminente desde as bases terroristas nas estrelas.

Tomo a liberdade de opinar, e perdão pela insolência: a invenção é boa, muito necessária, diria até imprescindível, mas me parece que o vendedor se enganou de cliente. O presidente insiste em promover o guarda-chuva entre países que não sofrem chuva alguma.

Embora possa parecer pedante, creio que é oportuno evocar a lei primeira do mercado: entre a oferta e a demanda, a cobra morde o rabo. Este sábio ensinamento foi legado à humanidade por Marco Licínio Crasso, que viveu entre os anos 115 a.C. e 53 a.C. Dom Marco Licínio fundou a primeira companhia de bombeiros em Roma. Teve grande sucesso. Ele provocava os incêndios e depois cobrava para apagá-los.

Creio que salta aos olhos: a demanda está no Iraque, que há dez anos vem sendo bombardeado. O presidente Bush soube perpetuar uma tradição familiar que seu pai inaugurou em 1991, descarregando mísseis sobre o Iraque em missões de rotina que não perdoam nem os campos de futebol. É Saddam Hussein quem precisa do escudo defensivo. Se ele se nega a comprar o invento, não há outro remédio senão bombardear outros países, para diversificar o mercado.

A conquista da lua

O "Acordo que regula as atividades dos estados na lua e outros corpos celestes" estabelece que "a superfície e o subsolo da lua não serão propriedades de nenhum estado, organização ou pessoa". Os Estados Unidos não assinaram este tratado universal. E o US Space Command, que coordena suas forças armadas de terra, mar e ar, está proclamando oficialmente, e publicamente, a necessidade de "controlar o espaço" para poder "dominar" a terra. E tais são os termos, palavra mais, palavra menos, com que o presidente Bush explica sua ressurreição do programa Guerra das Estrelas, iniciado por Ronald Reagan.

Humildemente sugiro que esclareça suas intenções. Que torne pública a verdade, mediante uma declaração escrita de quem saiba e possa, sem acrescentar dúvidas a dúvidas: os Estados Unidos querem a lua para que lá possam reunir-se aqueles que aqui já não têm lugar. Refiro-me aos organismos internacionais que velam pela felicidade de um mundo que já não os quer. Parece uma sopa de letrinhas, mas se trata nada menos do que o FMI, BM, OMC, OTAN, UE, G-7 e G-8. Eles tentaram em Seattle, Washington, Los Angeles, Filadélfia, Praga, Quebec, Gotemburgo e Gênova, e a fúria dos vândalos lhes tornou impossível a tertúlia. Na lua, não ouvirão ruídos impertinentes e o US Space Command lhes garantirá proteção invulnerável contra as ameaças das hordas de Átila.

E aqui cessa minha arenga. São Jorge está muito atarefado em sua guerra solitária contra o dragão da inveja; e não se deve roubar seu tempo.

2001

NOTÍCIAS DO MUNDO ÀS AVESSAS

O aniversário

Telefonei a um amigo que vive em Austin, Texas. Era o dia de seu aniversário, mas sua voz não soava bem. Naquela manhã, tinha recebido algumas cartas que lhe desejavam um feliz aniversário e aproveitavam para lembrar, amavelmente, seu destino final. Ofereciam-lhe um funeral pré-pago, caixão, velório, embalsamento, enterro, cremação, com pagamento parcelado, uma atenção de primeira, para que você não se transforme num problema para seus filhos.

Nos últimos anos, as grandes corporações invadiram o ramo fúnebre, que antes estava a cargo de pequenas empresas familiares. Mas as coisas não vão bem. A concorrência é dura e a demanda está estancada ou diminui. Este negócio, como todos os negócios, exige um mercado em expansão; e nos Estados Unidos as pessoas morrem pouco.

Segundo Thomas Lynch, diretor de uma empresinha de serviços fúnebres que herdou dos avós, a tradicional publicidade por correspondência já não é útil para os negócios em grande escala: as corporações não terão outro remédio senão investir uma dinheirama numa nova campanha publicitária destinada a que cada cidadão aceite morrer duas vezes.

Em teu dia, mamãe

Em minha casa, em Montevidéu, recebi um folheto de ofertas para o Dia das Mães.

Ali estava todo o melhor do melhor com que alguém pode presentear a abnegada autora de seus dias: *Noites tranquilas, muito tranquilas*, prometia o folheto, que a preços razoáveis oferecia alarmes de controle remoto, sirenes antivândalos, chaves eletrônicas, barreiras contra qualquer risco, sensores infravermelhos com lente tripla e sensores magnéticos para portas e portões.

A felicidade

Já se sabe que o dinheiro não produz a felicidade, mas também se sabe que produz algo tão parecido que a diferença é assunto para especialistas.

Contudo, a peste da tristeza está fazendo estragos nos países mais ricos. As estatísticas da Organização Mundial de Saúde informam que, agora, a depressão nervosa é *dez vezes mais frequente do que há cinquenta anos* nos Estados Unidos e na Europa Ocidental.

As estatísticas revelam as vertiginosas mudanças ocorridas, no último meio século, nos prósperos países que todos querem imitar. Ansiedade de comprar e ser comprado, angústia de perder e ser descartado: nos centros do privilégio, as pessoas duram mais, ganham mais e têm mais, mas se deprimem mais, enlouquecem mais, embriagam-se mais, drogam-se mais, suicidam-se mais e matam mais.

Pedagogia da violência

Segundo o general Marshall, somente dois de cada dez soldados de seu exército utilizavam os fuzis durante a Segunda Guerra Mundial. Os outros oito portavam a arma como adorno. Anos depois, na guerra do Vietnã, a realidade era bem outra: nove de cada dez soldados das tropas invasoras faziam fogo, e atiravam para matar.

A diferença estava na educação que haviam recebido. O tenente-coronel David Grossman, especialista em pedagogia militar, sustenta que o homem não está *naturalmente* inclinado à violência. Ao contrário do que se supõe, não é nada fácil ensinar a matar o próximo. A educação para a violência exige um intenso e prolongado adestramento, destinado a brutalizar os soldados e a desmantelar sistematicamente sua sensibilidade humana. Segundo Grossman, esse ensino começa, nos quartéis, aos dezoito anos de idade, mas fora dos quartéis começa aos dezoito meses: a televisão dita esses cursos a domicílio.

– *Foi como na tevê* – disse um menino de seis anos que assassinou uma companheirinha de sua idade, em Michigan, no inverno neste ano.

A liberdade de comércio

As notícias de rotina não têm divulgação. Em março deste ano, sessenta haitianos rumaram para a costa dos Estados Unidos num desengonçado barquinho, com a ilusão de ser recebidos como se fossem balseiros cubanos. Os sessenta morreram afogados no Mar do Caribe.

Estes fugitivos da miséria tinham sido, todos eles, plantadores de arroz.

Muita gente vivia disso, no Haiti, até que o Fundo Monetário Internacional contribuiu para o desenvolvimento desse paupérrimo país, o país mais pobre do hemisfério ocidental, proibindo os subsídios à produção nacional de arroz.

E o Haiti passou de país produtor a país importador, os agricultores do arroz haitiano se transformaram em mendigos ou balseiros e o Haiti passou a ser, acredite-se ou não, um dos quatro mais importantes mercados do arroz norte-americano no mundo. O Fundo Monetário Internacional, ao que se saiba, jamais proibiu os enormes subsídios à produção de arroz nos Estados Unidos.

1999

NOTÍCIAS DO FIM DO MILÊNIO

Anuncia-se que em breve, ainda sem data certa, teremos dedos biônicos para acariciar a lua; e já se sabe que dentro de quinze anos a cadeia Hilton inaugurará seu primeiro grande hotel sideral.

•••

Já resplandecem, nas naves espaciais, os anúncios luminosos da Pizza Hut. Aqui na terra, Picasso é o nome do próximo modelo dos automóveis Citroën, e *O grito*, quadro de Edvard Munch, esse alarido de um artista atormentado pelo que pressentia sobrevir, foi reciclado pela publicidade para um relançamento dos automóveis Pontiac. Em Berlim, acaba de completar seu primeiro aninho de vida um bem-sucedido *shopping center* chamado Salvador Allende, de oito mil metros quadrados, numa rua que se chama Pablo Neruda.

•••

Os robôs não só substituem a mão de obra humana nas fábricas, como também estão deixando sem trabalho o punho de obra nos ringues do boxe. Já se promovem combates entre robôs em Las Vegas, em diversas categorias que vão desde os pesos leves (onze quilos) até os superpesados (221 quilos). Para a alegria do respeitável público, os boxeadores cibernéticos se destripam a golpes, com seus braços mecânicos armados de machados e serras.

•••

Parece uma parábola de toda a história da humanidade, mas é apenas uma experiência científica recente. Dentro de uma caixa, coloca-se um rato e, diante do rato, uma barreira virtual. O animalzinho, intimidado por essa parede que não existe, fica a dar voltas sempre no mesmo lugar.

●●●

Os laboratórios Monsanto conseguiram que os vegetais, geneticamente modificados, nos forneçam comida de plástico. A empresa DuPont testa cultivos de poliéster em seus campos de milho.

●●●

Cinquenta mil manifestantes tornam impossível a vida dos donos do comércio mundial, reunidos em Seattle. Ali, Bill Clinton, presidente do planeta, pronuncia um discurso: ameaça com sanções os países que não respeitam os direitos dos trabalhadores. McDonald's, o restaurante preferido de Clinton, opera em todo o mundo, e em todo o mundo proíbe que seus empregados sejam filiados a sindicatos.

●●●

Fast food: uma nova cadeia japonesa de restaurantes está competindo com sucesso com o McDonald's. Os clientes não pagam por prato e sim por tempo. Quanto mais rápido comem, menos pagam. O minuto custa trinta cêntimos de dólar. Só em Tóquio, já funcionam 180 destes postos de gasolina humanos.

●●●

Fast life: espetacular recorde de vendas da droga Ritalin, nos Estados Unidos. O Ritalin atua sobre o cérebro dos meninos muito nervosos e consegue que permaneçam quietos diante do televisor. Outro laboratório está testando o Prozac infantil, com gosto de menta.

●●●

Liberdade de expressão: Disney engole a ABC, Time Warner bebe a CNN, Viacom come a CBS com faca e garfo. Há quinze anos, cinquenta empresas controlavam a comunicação nos Estados Unidos. Agora, são oito. Um monopólio compartilhado, que pratica o monólogo em escala planetária.

●●●

Tarzan, dos estúdios Disney, é o maior êxito do cinema infantil ao fim do milênio. A história, como se sabe, passa-se na selva africana. No filme, não aparece nenhum negro.

●●●

A primeira Guerra do Golfo, que deixou montanhas de cadáveres no Iraque, é vendida em vídeo, categoria *Ação*, título *Tempestade no deserto*, como se vendem o *Robocop* e o *Terminator*.

●●●

Comparando os dados de diversos organismos internacionais (PNUD, UNICEF, FAO, OMS, International Institute for Strategic Studies), chega-se à conclusão de que o dinheiro que o mundo destina a gastos militares durante onze dias daria para alimentar e curar todas as crianças famintas e enfermas do planeta, e sobrariam 354 dias para o nobre ofício de matar.

●●●

A organização Veterinários sem Fronteiras compara uma galinha com um avião de guerra. A galinha custa cinco dólares e o avião sete milhões; a galinha desenvolve uma velocidade máxima de um quilômetro por dia e o avião duplica a velocidade do som; a galinha põe um ovo por dia e o avião põe quatorze bombas por viagem, que podem matar mais de mil pessoas.

●●●

Segundo as Nações Unidas (PNUD), as três pessoas mais ricas do mundo possuem um patrimônio superior à soma dos produtos de 48 países.

●●●

Ao fim do milênio, a população mundial chega aos seis bilhões. A terra produz alimentos de sobra para dar de comer a todas as bocas, mas há um bilhão e trezentos milhões de famintos. "Pobres sempre haverá, disse Jesus", explica o teólogo argentino Carlos Menem.

●●●

Globalização. Salário de um operário da General Motors nos Estados Unidos: dezenove dólares por hora. Salário de um operário da General Motors no México, no outro lado da fronteira: um dólar e meio por hora.

●●●

Liberdade de comércio. Segundo a revista *The Economist*, o valor real das matérias-primas vendidas pelos países pobres é hoje seis vezes menor do que há oitenta anos. Muito antes, escreveu Jean-Jacques Rousseau: "Nas relações entre o forte e o fraco, a liberdade oprime".

●●●

Os países riquíssimos anunciam que perdoarão as dívidas incobráveis dos países paupérrimos, sempre e quando intensifiquem suas políticas de ajuste, ou seja: que reduzam ainda mais seus salários anões.

●●●

A revista *The Ecologist* divulga, em novembro de 1999, uma estimativa das vítimas dos testes nucleares da indústria de armamentos. Segundo o cálculo da especialista Rosalie Bertell, as explosões nucleares mataram, contaminaram ou deformaram, direta ou indiretamente, nada menos do que um bilhão e duzentos milhões de pessoas, ao longo de meio século.

●●●

O Pentágono anuncia uma boa notícia para a ecologia. A partir do ano 2003, usará balas que não contaminarão o ambiente. O chumbo será substituído pelo tungstênio.

●●●

Três organizações internacionais – World Conservation Monitoring Centre, WWF International e New Economics Foundation – afirmam que o mundo perdeu, nos últimos trinta anos, quase um terço de sua riqueza natural. É o pior extermínio da natureza desde a época dos dinossauros. Diz Woody Allen, meu ideólogo preferido: "O futuro me preocupa, porque é o lugar onde penso passar o resto da minha vida".

1999

S.O.S.

Quem fica com a água? O macaco que tem o porrete. O macaco desarmado morre de sede. Esta lição da pré-história abre o filme *2001, uma odisseia no espaço*. Para a odisseia 2003, o presidente Bush anuncia um orçamento militar de um bilhão de dólares por dia. A indústria armamentista é o único investimento digno de confiança: há argumentos que são incontestáveis, na próxima Cúpula da Terra em Johanesburgo ou em qualquer outra conferência internacional.

•••

As potências donas do planeta raciocinam bombardeando. Elas são o poder, um poder geneticamente modificado, um gigantesco Frankenpower que humilha a natureza: exerce a liberdade de transformar o ar em sujeira e o direito de deixar a humanidade sem casa; chama erros aos seus horrores, esmaga quem se antepõe em seu caminho, é surdo aos alarmes e quebra o que toca.

•••

Eleva-se o mar, e as terras mais baixas ficam sepultadas para sempre sob as águas. Isto parece a metáfora do desenvolvimento econômico do mundo tal qual é, mas não: trata-se de uma fotografia do mundo tal qual será, num futuro não muito distante, segundo as previsões dos cientistas consultados pelas Nações Unidas.

Durante mais de duas décadas, as profecias dos ecologistas mereceram zombaria e silêncio. Agora os cientistas lhes dão razão. A 3 de junho deste ano, até o presidente Bush teve de admitir, pela primeira vez, que ocorrerão desastres se o aquecimento global continuar afetando o planeta. O Vaticano reconhece que Galileu não estava enganado, comentou o jornalista Bill McKibben. Mas ninguém é perfeito: ao mesmo tempo, Bush anunciou que os Estados Unidos aumentarão em 43%, nos próximos dezoito anos, a emissão de gases que intoxicam a atmosfera. Afinal, ele preside um país de máquinas que rodam comendo petróleo e vomitando veneno: mais de duzentos milhões de automóveis, e menos mal que os bebês não guiam. Em fins do ano passado, num discurso, Bush exortou à solidariedade, e foi capaz de defini-la: "Deixa que teus filhos lavem o carro do vizinho".

●●●

A política energética do país líder do mundo está ditada pelos negócios terrenos, que dizem obedecer aos céus. Transmitia mensagens divinas a finada empresa Enron, falecida por fraude, que foi a principal assessora do governo e a principal financiadora das campanhas de Bush e da maioria dos senadores. O grande chefe da Enron, Kenneth Lay, costumava dizer: "Creio em Deus e creio no mercado". E o mandachuva anterior tinha um lema parecido: "Nós estamos do lado dos anjos".

Os Estados Unidos praticam o terrorismo ambiental sem o menor remorso, como se o Senhor lhes houvesse outorgado um certificado de impunidade porque deixaram de fumar.

●●●

"A natureza já está muito cansada", escreveu o frade espanhol Luis Alfonso de Carvallo. Foi em 1695. Se nos visse agora...

Uma grande parte do mapa da Espanha está ficando sem terra. A terra se vai; e mais cedo do que tarde, entrará a areia pelas frestas das janelas. Das matas mediterrânicas, permanece em pé uns quinze por cento. Há um século, o arvoredo cobria metade da Etiópia, que hoje é um vasto deserto. A Amazônia brasileira perdeu florestas do tamanho do mapa da França. Na América Central, nesse passo, em breve as árvores serão contadas como conta o calvo seus cabelos.

A erosão expulsa os camponeses do México, que vão embora do campo ou do país. Quanto mais se degrada a terra no mundo, mais fertilizantes e pesticidas é preciso utilizar. Segundo a Organização Mundial da Saúde, estas ajudas químicas matam três milhões de agricultores por ano.

Como as línguas humanas e as humanas culturas, vão morrendo as plantas e os animais. As espécies desaparecem a um ritmo de três por hora, segundo o biólogo Edward O. Wilson. E não só pelo desmatamento e pela contaminação: a produção em grande escala, a agricultura de exportação e a uniformização do consumo estão aniquilando a diversidade. Quase não se acredita que, há apenas um século, havia no mundo mais de quinhentas variedades de alface e 287 tipos de cenoura. E 220 variedades de batata só na Bolívia.

●●●

Pelam-se as matas, desertifica-se a terra, envenenam-se os rios, derretem-se os gelos dos polos e as neves dos altos cumes. Em muitos lugares a chuva deixou de chover e em muitos outros chove como se o céu se abrisse. O clima do mundo está mais para hospício.

As inundações e as secas, os ciclones e os incêndios incontroláveis são cada vez menos *naturais*, embora os meios de comunicação, contra toda evidência, insistam em chamá-los assim. E parece uma piada de humor negro que as Nações Unidas tenham chamado os anos noventa Década Internacional para a Redução dos Desastres Naturais. Redução? Essa foi a década mais desastrosa. Houve 86 catástrofes, que deixaram cinco vezes mais mortos do que os muitos mortos das guerras desse período. Quase todos, exatamente 96%, morreram nos países pobres, que os entendidos insistem em chamar "países em vias de desenvolvimento".

●●●

Com devoção e entusiasmo, o sul do mundo copia e multiplica os piores costumes do norte. E do norte não recebe as virtudes, mas o pior: torna sua a religião norte-americana do automóvel, o desprezo pelo transporte público e toda a mitologia da liberdade de mercado e da sociedade de consumo. E o sul também recebe, de braços abertos, as fábricas mais porcas, as mais inimigas da natureza, em troca de salários que dão saudade da escravidão.

No entanto, cada habitante do norte consome, em média, dez vezes mais petróleo, gás e carvão; e no sul, apenas uma de cada cem pessoas tem carro próprio. Gula e jejum do cardápio ambiental: 75% da contaminação do mundo provém de 25% da população. E nessa minoria, claro, não figuram o bilhão e duzentos milhões que vivem sem água potável, nem o bilhão e cem milhões que a cada noite vão dormir de barriga vazia. Não é "a humanidade" a responsável pela devoração dos recursos naturais nem pelo apodrecimento do ar, da terra e da água.

O poder encolhe os ombros: quando este planeta deixar de ser rentável, mudo-me para outro.

●●●

A beleza é bela se pode ser vendida, e a justiça é justa quando pode ser comprada. O planeta está sendo assassinado pelos modelos de vida, assim como nos paralisam as máquinas inventadas para acelerar o movimento e nos isolam as cidades nascidas para o encontro.

As palavras perdem sentido, enquanto perdem sua cor o mar verde e o céu azul, que tinham sido pintados por gentileza das algas que lançaram oxigênio durante três bilhões de anos.

●●●

Essas luzinhas da noite estão nos espiando? As estrelas tremem de estupor e medo. Elas não conseguem entender como continua dando voltas, vivo ainda, este nosso mundo, tão fervorosamente dedicado à sua própria aniquilação. E estremecem de susto, porque já viram que este mundo começa a invadir outros astros do céu.

2002

A SOGA

Somos tão comovedores? O presidente Bush se comoveu com o drama do Uruguai, embora não haja nenhum indício de que ele consiga localizar nosso país no mapa. Será que seu coração foi tocado pela abnegação de nosso presidente, esse bom homem sempre pronto para atuar na primeira linha de fogo contra Cuba, Argentina e o que mais mandarem? Quem sabe. O fato é que Bush disse: "É preciso dar uma mão". E em seguida disseram exatamente o mesmo os organismos internacionais de crédito, que cumprem a nobre função de papagaio no ombro do pirata.

Reuniram-se então, a toda pressa, nossos legisladores. E por maioria, uma maioria surda a qualquer discussão, votaram num átimo a lei que dispara o tiro de misericórdia na banca pública. A Lei estava bem fundamentada: ou aprovam aqui ou o dinheiro não vem.

E torceram os pescoços procurando o avião que vinha do céu. Os dólares não viajaram de avião, mas chegaram: "Um bilhão e quinhentos milhões de *dolores*", disse o embaixador dos Estados Unidos, que não fala uma palavra em espanhol. O erro confessou a verdade.

•••

Os países latino-americanos nasceram para a vida independente hipotecados pela banca britânica.

Dois séculos depois, um taxista de Montevidéu me comenta: "Dizem que Deus vai prover. Pensam que Deus dirige o Fundo Monetário".

Com os tempos, fomos trocando de credores. E agora devemos muito mais. Quanto mais pagamos, mais devemos; quanto mais devemos, menos decidimos. Sequestrados pela banca estrangeira, já não podemos nem respirar sem permissão. Vivemos os latino-americanos para pagar os chamados "serviços da dívida", ao serviço de uma dívida que se multiplica como coelha. A dívida cresce em quatro dólares por cada novo dólar que recebemos, mas festejamos cada novo dólar como se fosse um milagre. E como se a soga, destinada a apertar o pescoço, pudesse servir para nos erguer do fundo do poço.

●●●

Desde muitos anos, o Uruguai dedica-se a deixar de ser um país para se transformar num banco com praias. E os Estados Unidos, pela boca do embaixador, acabam de nos confirmar essa função e esse destino.

E assim vai. Bela maneira de nos integrarmos ao mercado, que nos integra desintegrando-nos. Os bancos afundam, enquanto os banqueiros enriquecem. O governo, governado, finge que governa. Fábricas fechadas, campos vazios: produzimos mendigos e policiais. E emigrantes. Todas as noites fazem fila, na rua, em pleno inverno, as pessoas que querem tirar passaporte. Para a Espanha, para a Itália ou para qualquer lugar, tomam os jovens o caminho que seus avós fizeram ao contrário.

●●●

A poupança é a base da fortuna dos banqueiros que a usurpam. Este cinema exibe, há anos, o mesmo filme: bancos esvaziados por seus donos, passivos incobráveis que são descarregados na sociedade como um todo. Amparados pelo segredo bancário, os magos das finanças fazem desaparecer o dinheiro como a ditadura militar fazia desaparecer as pessoas. Suas bem-sucedidas manobras deixam uma multidão de poupadores fraudados e de empregados sem emprego, e uma dívida pública que cobra de todos o vigarice de poucos.

A banca privada, que mereceu tantos tapa-furos milionários, está cada vez mais divorciada da produção e do trabalho, ou da pouca produção e do pouco trabalho que ainda nos restam. Mas esta praça financeira acaba de ser recompensada pela nova lei que fere de morte a banca do estado.

A continuarmos assim, não causará espécie que, mais cedo do que tarde, as empresas públicas venham a ser a nossa única moeda para fazer frente aos vencimentos da impagável dívida externa. Será algo assim como uma execução do estado, fuzilado pelos credores. E pouco importará, então, a vontade popular, que há dez anos bloqueou as privatizações num plebiscito.

•••

Mais estado, menos estado, quase nenhum estado? Um estado reduzido às funções de vigilância e castigo? Castigo de quem?

A ditadura financeira internacional obriga ao desmantelamento do estado, mas só a omissão na fiscalização pública pode explicar a escandalosa impunidade com que foram depenados alguns bancos do Uruguai. "Os controladores não são adivinhos", justificou um deputado oficialista. O último dos responsáveis por essa tarefa não cumprida é um primo do presidente da república.

Mais eloquente, todavia, é a queda em cascata de umas quantas empresas gigantes nos Estados Unidos. Afinal, tem lugar no país que impõe aos demais a chamada *deregulation*, ou seja: a obrigação de fazer vista grossa para os manobrismos do mundo dos negócios. Acabam de acontecer ali as maiores bancarrotas da história, confirmando que a tal *deregulation* deixa de mãos livres para enganar e roubar em escala descomunal. Enron, WorldCom e outras corporações puderam realizar com toda a facilidade fraudes colossais, fazendo passar perdas por lucros e cometendo errinhos contábeis de bilhões de dólares.

Parecem-me perigosas as medidas que agora anuncia o presidente Bush contra os executivos vigaristas e seus cúmplices. Se de fato as aplicasse, e com efeito retroativo, poderiam ir para a cadeia ele mesmo e quase todo o seu gabinete.

•••

Até quando os países latino-americanos continuarão aceitando as ordens do mercado como se fossem uma fatalidade do destino? Até quando continuaremos implorando esmolas, entrando aos cotovelaços na fila dos pedintes? Até quando continuará cada país apostando no salve-se quem puder? Quando nos convenceremos de que a indignidade não compensa? Por que não formamos uma frente comum para defender os preços de nossos produtos, se estamos cansados de saber que nos dividem para reinar? Por que não enfrentamos juntos a dívida usurária? Que poder teria a soga se não encontrasse o pescoço?

2002

Coleção **L&PM** POCKET

1275. **O homem Moisés e a religião monoteísta** – Freud
1276. **Inibição, sintoma e medo** – Freud
1277. **Além do princípio de prazer** – Freud
1278. **O direito de dizer não!** – Walter Riso
1279. **A arte de ser flexível** – Walter Riso
1280. **Casados e descasados** – August Strindberg
1281. **Da Terra à Lua** – Júlio Verne
1282. **Minhas galerias e meus pintores** – Kahnweiler
1283. **A arte do romance** – Virginia Woolf
1284. **Teatro completo v. 1: As aves da noite** *seguido de* **O visitante** – Hilda Hilst
1285. **Teatro completo v. 2: O verdugo** *seguido de* **A morte do patriarca** – Hilda Hilst
1286. **Teatro completo v. 3: O rato no muro** *seguido de* **Auto da barca de Camiri** – Hilda Hilst
1287. **Teatro completo v. 4: A empresa** *seguido de* **O novo sistema** – Hilda Hilst
1289. **Fora de mim** – Martha Medeiros
1290. **Divã** – Martha Medeiros
1291. **Sobre a genealogia da moral: um escrito polêmico** – Nietzsche
1292. **A consciência de Zeno** – Italo Svevo
1293. **Células-tronco** – Jonathan Slack
1294. **O fim do ciúme e outros contos** – Proust
1295. **A jangada** – Júlio Verne
1296. **A ilha do dr. Moreau** – H.G. Wells
1297. **Ninho de fidalgos** – Ivan Turguêniev
1298. **Jane Eyre** – Charlotte Brontë
1299. **Sobre gatos** – Bukowski
1300. **Sobre o amor** – Bukowski
1301. **Escrever para não enlouquecer** – Bukowski
1302. **222 receitas** – J. A. Pinheiro Machado
1303. **Reinações de Narizinho** – Monteiro Lobato
1304. **O Saci** – Monteiro Lobato
1305. **Memórias da Emília** – Monteiro Lobato
1306. **O Picapau Amarelo** – Monteiro Lobato
1307. **A reforma da Natureza** – Monteiro Lobato
1308. **Fábulas** *seguido de* **Histórias diversas** – Monteiro Lobato
1309. **Aventuras de Hans Staden** – Monteiro Lobato
1310. **Peter Pan** – Monteiro Lobato
1311. **Dom Quixote das crianças** – Monteiro Lobato
1312. **O Minotauro** – Monteiro Lobato
1313. **Um quarto só seu** – Virginia Woolf
1314. **Sonetos** – Shakespeare
1315. (35).**Thoreau** – Marie Berthoumieu e Laura El Makki
1316. **Teoria da arte** – Cynthia Freeland
1317. **A arte da prudência** – Baltasar Gracián
1318. **O louco** *seguido de* **Areia e espuma** – Khalil Gibran
1319. **O profeta** *seguido de* **O jardim do profeta** – Khalil Gibran
1320. **Jesus, o Filho do Homem** – Khalil Gibran
1321. **A luta** – Norman Mailer
1322. **Sobre o sofrimento do mundo e outros ensaios** – Schopenhauer
1323. **Epidemiologia** – Rodolfo Sacacci
1324. **Japão moderno** – Christopher Goto-Jones
1325. **A arte da meditação** – Matthieu Ricard
1326. **O adversário secreto** – Agatha Christie
1327. **Pollyanna** – Eleanor H. Porter
1328. **Espelhos** – Eduardo Galeano
1329. **A Vênus das peles** – Sacher-Masoch
1330. **O 18 de brumário de Luís Bonaparte** – Karl Marx
1331. **Um jogo para os vivos** – Patricia Highsmith
1332. **A tristeza pode esperar** – J.J. Camargo
1333. **Vinte poemas de amor e uma canção desesperada** – Pablo Neruda
1334. **Judaísmo** – Norman Solomon
1335. **Esquizofrenia** – Christopher Frith & Eve Johnstone
1336. **Seis personagens em busca de um autor** – Luigi Pirandello
1337. **A Fazenda dos Animais** – George Orwell
1338. **1984** – George Orwell
1339. **Ubu Rei** – Alfred Jarry
1340. **Sobre bêbados e bebidas** – Bukowski
1341. **Tempestade para os vivos e para os mortos** – Bukowski
1342. **Complicado** – Natsume Ono
1343. **Sobre o livre-arbítrio** – Schopenhauer
1344. **Uma breve história da literatura** – John Sutherland
1345. **Você fica tão sozinho às vezes que até faz sentido** – Bukowski
1346. **Um apartamento em Paris** – Guillaume Musso
1347. **Receitas fáceis e saborosas** – José Antonio Pinheiro Machado
1348. **Por que engordamos** – Gary Taubes
1349. **A fabulosa história do hospital** – Jean-Noël Fabiani
1350. **Voo noturno** *seguido de* **Terra dos homens** – Antoine de Saint-Exupéry
1351. **Doutor Sax** – Jack Kerouac
1352. **O livro do Tao e da virtude** – Lao-Tsé
1353. **Pista negra** – Antonio Manzini
1354. **A chave de vidro** – Dashiell Hammett
1355. **Martin Eden** – Jack London
1356. **Já te disse adeus, e agora, como te esqueço?** – Walter Riso
1357. **A viagem do descobrimento** – Eduardo Bueno
1358. **Náufragos, traficantes e degredados** – Eduardo Bueno
1359. **Retrato do Brasil** – Paulo Prado
1360. **Maravilhosamente imperfeito, escandalosamente feliz** – Walter Riso
1361. **É...** – Millôr Fernandes
1362. **Duas tábuas e uma paixão** – Millôr Fernandes
1363. **Selma e Sinatra** – Martha Medeiros
1364. **Tudo que eu queria te dizer** – Martha Medeiros
1365. **Várias histórias** – Machado de Assis

lepmeditores
www.lpm.com.br
o site que conta tudo

IMPRESSÃO:

PALLOTTI
GRÁFICA

Santa Maria - RS | Fone: (55) 3220.4500
www.graficapallotti.com.br